ACCESO GRATIS *a la Lectura en la Nube*

Para visualizar el libro electrónico en la nube de lectura envíe junto a su nombre y apellidos una fotografía del código de barras situado en la contraportada del libro y otra del ticket de compra a la dirección:

ebooktirant@tirant.com

En un máximo de 72 horas laborables le enviaremos el código de acceso con sus instrucciones.

AF617405

La visualización del libro en **NUBE DE LECTURA** excluye los usos bibliotecarios y públicos que puedan poner el archivo electrónico a disposición de una comunidad de lectores. Se permite tan solo un uso individual y privado.

RÉGIMEN JURÍDICO DE LA PROPIEDAD HORIZONTAL EN CATALUNYA

Procedimiento de selección de originales, ver página web:
www.tirant.net/index.php/editorial/procedimiento-de-seleccion-de-originales

RÉGIMEN JURÍDICO DE LA PROPIEDAD HORIZONTAL EN CATALUNYA

Joaquim Martí Martí

tirant lo blanch
Valencia, 2026

Directora de colección

Carolina del Carmen Castillo Martínez

EDITA: TIRANT LO BLANCH
C/ Artes Gráficas, 14 - 46010 - Valencia
TELFS.: 96/361 00 48 - 50
FAX: 96/369 41 51
Email: tlb@tirant.com
www.tirant.com
Librería virtual: www.tirant.es
DEPÓSITO LEGAL: V-822-2026
ISBN: 979-13-7040-464-2

ÍNDICE

Régimen jurídico de la propiedad horizontal en catalunya

INTRODUCCIÓN

La propiedad horizontal estaba siendo regulada, en todo el Estado Español, por la LEY DE PROPIEDAD HORIZONTAL, Ley 8/1999 (LPH).

Esta Ley Estatal ha sido objeto de multitud de reformas parciales, y, actualmente, hay artículos derogados, otros con la redacción originaria, y otros que han sufrido varias modificaciones legislativas.

En Catalunya ya existía un CODIGO CIVIL que regulaba materias civiles propias, tales como régimen matrimonial, sucesiones, contratos, etc.

Aprovechando que ya existía un CODIGO CIVIL, el Parlament de Catalunya aprobó, en fecha 5 de mayo de 2006, el LIBRO V de este Código, denominado de *DERECHOS REALES.* Pero concretamente regulatorio de la PROPIEDAD HORIZONTAL.

Se aprobó pues, una modificación del capítulo III del Título V del Libro V del Código civil de Catalunya, que se titula

«**Capitulo III. Régimen jurídico de la propiedad horizontal.**

En este capítulo se regula, bajo un único artículo, el 553, pero con 59 apartados ordinales, la propiedad horizontal en Catalunya.

A partir de la aprobación de este texto, los Juzgados y Tribunales de Catalunya deben aplicar estas normas en la resolución de conflictos derivados de la propiedad horizontal, y las comunidades de propietarios, administradores de fincas, propietarios, y agentes inmobiliarios deben aplicar estas normas en sus actividades derivadas de la propiedad horizontal. También los Juzgados en Catalunya deben aplicar estas normas para solucionar los conflictos en comunidades de propietarios.

Así pues, se abría en mayo del 2006 una nueva realidad normativa en el Estado Español, Catalunya tenía normativa propia y diferenciada de la del resto del Estado.

Con esta nueva realidad, cada territorio aplica su propia normativa en materia de propiedad horizontal. En Catalunya las comunidades de propietarios se rigen por su propia normativa, esto es el Libro V del Código Civil, quedando la LPH para el resto del territorio español.

En mayo de 2015, este Libro V sufrió una modificación legislativa y se promulgó un nuevo y reformado Capítulo III.- *Régimen jurídico de la propiedad horizontal,* en Catalunya.

La Ley 5/2015, redacta nuevamente todos los artículos, siguiendo la numeración y título de los artículos comprendidos en la Ley 5/2006. Ahora bien, el Capítulo III sólo tiene un artículo, el 553 y 59 apartados u ordinales.

En esta obra procederemos al estudio en detalle de esta regulación de la propiedad horizontal por la normativa catalana.

CONCLUSIÓN: En Catalunya, los/as Administradores/as de Fincas sólo deben aplicar la normativa prevista en el Libro V del Código Civil de Catalunya que el que se va a explicar en esta obra.

1. Constitución y primeros pasos en una comunidad de propietarios

1.1. LA ESCRITURA DE DIVISIÓN HORIZONTAL OTORGADA POR LA SOCIEDAD PROMOTORA.

El origen de toda comunidad de propietarios hay que considerarlo en el momento en que una sociedad promotora de un edificio en construcción acude a Notario de su elección para otorgar una ESCRITURA DE DIVISIÓN HORIZONTAL.

Ciertamente, en este momento inicial todavía no participa la Comunidad de Propietarios, que se creará en un momento posterior; en concreto, en el momento en que se empiecen a vender pisos y locales y aparezcan nuevos propietarios, que, en conjunto, formarán una Comunidad de Propietarios.

Pero la escritura de división horizontal no la otorga ninguna Comunidad de Propietarios, sino que es la sociedad promotora del edificio, que quiere identificar los distintos pisos y locales, que, en el futuro formarán la Comunidad de Propietarios, una vez se vayan vendiendo.

FORMULARIO. EJEMPLO DE ESCRITURA DE DIVISIÓN HORIZONTAL.

Un ejemplo de ESCRITURA DE DIVISIÓN HORIZONTAL podría ser la escritura en la que el NOTARIO describe el edificio en construcción.

Ante mi, Notario de.................

Comparece: D............., Administradora de la Sociedad...................SA.

E X P O N E N:

PRIMERO.= Que la sociedad .... es dueña del pleno dominio de por el título que luego se dirá, de la siguiente finca:

= URBANA: Casa xxxx, hoy xxx, número xxx.

Superficie: Tiene xxxx, estando el resto de solar (que mide xxx, según título y registro, siendo la superficie de solar de xxxx, según catastro) destinado a un patio corral de xxxx, según catastro.

Linderos: Frente, calle de su situación; Derecha entrando, xxxx, hoy referencia catastral xxxx de xxx; izquierda, xxx, hoy referencia catastral xx de xxx; y fondo, Calle xxx.

INSCRIPCIÓN:

REFERENCIA CATASTRAL:

Yo, el Notario, doy fe, bajo mi responsabilidad, de que he obtenido por los procedimientos telemáticos seguros habilitados, la certificación acreditativa de la referencia catastral, y descriptiva y gráfica, y el anexo de coordenadas georreferenciadas vértices de la parcela catastral, solicitada por los otorgantes a efectos de la presente, que incorporo a esta matriz.

SEGUNDO.= Esto expuesto,

O T O R G A N:-

PRIMERO. DIVISIÓN HORIZONTAL.

a.- Los comparecientes establecen para el edificio descrito el régimen de propiedad horizontal regulado por la Ley 49/1960, de 21 de Julio, en su vigente redacción, y al amparo de lo dispuesto en el artículo 28.4 de la Ley del Suelo y en la Resolución DGRN de 10 de Septiembre de 2018, la dividen en los elementos independientes que más adelante se describen.

LOCAL DERECHO……

LOCAL IZQUIERDO……..

ENTRESUELO PRIMERA………

ETC. ETC. ETC.

b.- Se valora la propiedad horizontal a efectos fiscales y arancelarios, en la cantidad de xxxx.

En ese momento se está creando un edificio que, de momento es propiedad de un único propietario (la sociedad promotora) pero que cuando se empiecen a vender entidades (pisos y locales) entonces ya no será propiedad de un único propietario y, en ese momento se podrá otorgar una COMUNIDAD DE PROPIETARIOS.

Cuando la sociedad promotora empiece a vender entidades de la finca (pisos y locales) será el momento en el que sea aconsejable LA CONSTITUCIÓN DE UNA COMUNIDAD DE PROPIETARIOS.

1.2. PRIMEROS PASOS.

IMPORTANTE: Cuando la sociedad promotora ha procedido a la venta de los primeros pisos o locales, es el momento de constituir la COMUNIDAD DE PROPIETARIOS.

Es decir, el momento adecuado para la constitución es cuando ya existen en el edificio, varias entidades con propietarios distintos a la sociedad promotora.

La Constitución de la Comunidad de Propietarios se realiza mediante una Junta de Propietarios, con las mismas formalidades que cualquier Junta de Comunidad. La convoca el propietario mayoritario (la sociedad promotora) y deben ser convocados todos los propietarios que hayan adquirido pisos y locales en la finca.

Por este motivo, es aconsejable convocarla cuando se hayan otorgado las primeras ventas de pisos o locales. Y así ser una Junta de propietarios con los primeros adquirentes.

Artº 553-1. DEFINICIÓN

1. El régimen jurídico de la propiedad horizontal implica, para los propietarios, el derecho de propiedad en exclusiva sobre los elementos privativos y en comunidad con los demás propietarios sobre los elementos comunes.

2. El régimen jurídico de la propiedad horizontal requiere el otorgamiento del título de constitución y supone:

a) La existencia, presente o futura, de uno o más titulares de la propiedad de al menos un inmueble integrado por elementos privativos y elementos comunes.

b) La determinación de la cuota de participación en los elementos comunes que corresponde a cada elemento privativo.

c) La configuración de una organización para el ejercicio de los derechos y el cumplimiento de los deberes de los propietarios.

La Junta de propietarios acordará la constitución de una Comunidad de Propietarios, y el nombramiento de la primera Junta rectora.

FORMULARIO. MODELO DE ACUERDO DE CONSTITUCION DE LA COMUNIDAD.

Los asistentes acuerdan la Constitución de la Comunidad de Propietarios de Calle. ….. num …. De la ciudad de ….

Asimismo acuerdan nombrar Presidenta a Dª…………….. y Secretario-Administrador a D……….

Con esta Acta ya pueden solicitar un Libro de Actas Diligenciado y numerado en todas sus hojas; inscribir dicho Libro de Actas en el Registro de la Propiedad que corresponde a esa finca, en cuyo caso el Registro marcará cada hoja del Libro, y con este trámite solicitar un NIF a la Agencia Tributaria.

Y con el NIF ya pueden contratar a su nombre, el suministro de luz comunitario, el mantenimiento del ascensor, etc.

Para el pago de estos gastos, será necesario girar unas cuotas comunitarias, nombrar una Administración de Fincas, etc.

553-7. ESTABLECIMIENTO DEL RÉGIMEN

1. El inmueble se somete al régimen de propiedad horizontal desde el otorgamiento del título de constitución, aunque la construcción no esté terminada.
2. El título de constitución se inscribe en el Registro de la Propiedad de conformidad con la legislación hipotecaria y a los efectos que esta legislación establece.

Artº 553-8. LEGITIMACIÓN

1. Están legitimados para el establecimiento del régimen de la propiedad horizontal el propietario o propietarios del inmueble que lo sean en el momento del otorgamiento del título de constitución.
2. El promotor que haya transmitido una cuota indivisa del inmueble no puede hacer uso de la facultad que le concede el artículo 552-11.4. En este caso, cualquier adquiriente puede exigir el otorgamiento inmediato del título de constitución de acuerdo con el proyecto por el que se ha obtenido la licencia correspondiente.

▷ La Ley permite crear la Comunidad "sobre plano" y que después se convierta en definitiva en el momento en que se otorgue la escritura pública de compraventa que deberá incluir el título constitutivo (en documento privado) y las normas que fueron originarias.

En nuestro sistema la venta "sobre plano" supone un verdadero contrato de adhesión por parte del comprador, fijando el promotor, discrecionalmente, los vencimientos de los pagos y la facultad para demorar la entrega por fuerza mayor o huelga de la construcción.

En esta tesitura, al comprador sobre plano, le preocupará mucho más solicitar una garantía bancaria de las cantidades que va entregando a cuenta de la construcción que se atisba sobre el solar y de la entrega de la vivienda en los tres meses siguientes a la fecha máxima, que la constitución de la comunidad de propietarios.

Ahora bien, esta posibilidad de constituir una Comunidad de Propietarios sin haberse otorgado las escrituras públicas de compraventa, es aceptada por el CC CAT.

1.3. CONJUNTOS INMOBILIARIOS.

Los Tribunales ya permitían la aplicación de la regulación de la propiedad horizontal (tanto de la Ley de Propiedad Horizontal como normativa catalana) a urbanizaciones, mercados, puertos y cementerios.

Y ello, en base al entendimiento que, tanto en un edificio como en una Urbanización, como en un mercado o cementerio, coexisten elementos comunes y elementos privativos.

✓ Es decir, siempre que exista un elemento común, puede crearse una Comunidad de Propietarios. Si no existe ningún elemento común, entonces no es posible.

Pero la existencia de elementos comunes, provoca la necesidad de constituir una Comunidad de Propietarios para facilitar su gestión económica y ordinaria.

Ejemplo: En un lugar donde las casas son unifamiliares aisladas, no existen elementos comunes entre ellas y no es posible la creación de una Comunidad de Propietarios. Podrán crear una "Asociación Vecinal" para discusión de aspectos relativos a la seguridad, etc. Pero esta entidad no se equiparará a una Comunidad de Propietarios.

En cambio, una "casa pareada" de dos elementos, sí puede constituirse en Comunidad de Propietarios, si comparte la entrada desde la calle, por ejemplo, ya que esa entrada precisará de una puerta, manual o eléctrica, un interfono, etc. y esos serán elementos comunes; que deberán mantenerse y abonar sus cuotas de mantenimiento y reparación.

Artº 553-48. CONFIGURACIÓN

1. La propiedad horizontal compleja implica la coexistencia de subcomunidades integradas en un inmueble o en un conjunto inmobiliario formado por varias escaleras o portales o por una pluralidad de edificios independientes y separados que se conectan entre ellos y comparten zonas ajardinadas y de recreo, piscinas u otros elementos comunes similares.

2. En el régimen de la propiedad horizontal compleja, cada escalera, portal o edificio constituye una subcomunidad que se rige por los preceptos de las secciones primera y segunda.

3. Pueden configurarse como una subcomunidad los elementos privativos, situados en uno o más inmuebles, que están conectados entre sí y que tienen independencia económica y funcional.

En el funcionamiento de las Urbanizaciones o conjuntos inmobiliarios deben aplicarse las normas de la propiedad horizontal si bien adaptándose a la realidad física y organizativa de cada conjunto.

Así, si se trata de una urbanización de casas unifamiliares o pareadas, su funcionamiento puede equipararse perfectamente al de un edificio: pueden convocarse juntas de propietarios de todos los propietarios de esos elementos privativos para la decisión sobre los aspectos económicos del mantenimiento y reparación de los elementos comunes.

Si se trata de una Urbanización de varios edificios: entonces pueden coexistir dos comunidades de propietarios entrelazadas y vinculadas. En primer lugar, cada edificio tendrá su propia comunidad de propietarios, que la formarán los elementos privativos de ese edificio y con sus elementos comunes. En segundo lugar, existirá la *supra-comunidad,* que la formarán para el mantenimiento de los elementos comunes exteriores a cada edificio.

En el funcionamiento de las *supra-comunidades* se decidirá en cada caso, si a la Junta General pueden asistir todos los propietarios de apartamentos o bien sólo los presidentes de cada bloque de apartamentos. Lo recomendable es que puedan asistir todos los propietarios, pero en ocasiones, si son un numero elevado se consideran poco operativas y se limita el acceso a los presidentes de cada bloque.

Artº 553-51. REGULACIÓN Y ACUERDOS

1. En la propiedad horizontal compleja, cada subcomunidad tiene sus órganos específicos y adopta sus propios acuerdos con independencia de las demás subcomunidades y de la comunidad general, dentro del ámbito material que le sea reconocido en el título de constitución.
2. Los estatutos pueden regular un consejo de presidentes si la complejidad del conjunto inmobiliario y de los elementos, servicios e instalaciones comunes, el número de elementos privativos u otras circunstancias lo hacen aconsejable. El consejo debe actuar de forma colegiada para la administración ordinaria de los elementos comunes de todo el conjunto y debe regirse por las normas de la junta de propietarios adaptadas a su naturaleza específica.

▷ El funcionamiento económico del Conjunto inmobiliario puede ser el mismo que el de una Comunidad de Propietarios de un edificio.

Es decir, hay que confeccionar un presupuesto anual, que puede ser el presupuesto del conjunto inmobiliario con sus elementos comunes: jardines, piscina, alumbrado, vigilancia, etc.

Este presupuesto anual debe repartirse entre los distintos integrantes, mediante unas cuotas, mensuales o trimestrales, que pueden ser abonadas, directamente por cada propietario o bien en conjunto por cada edificio integrante de ese conjunto inmobiliario.

Además, cada bloque tendrá su propio presupuesto de gastos: mantenimiento del edificio, escaleras, fachadas, etc. que también será repartido a cada propietario de un piso o local en el edificio.

A partir de este sistema de administración, se confeccionarán unas liquidaciones, unas contabilizaciones individuales, etc.

La morosidad en cada comunidad puede ser reclamada mediante los mismos procedimientos judiciales que son aplicables en un edificio.

CONCLUSIÓN. El funcionamiento económico ha de ser bajo los mismos parámetros y criterios. Ello permitirá reclamar las cuotas pendientes con la misma eficacia que cuando se reclaman en un edificio.

2. *Elementos privativos*

La escritura de división horizontal se otorga, por parte de la sociedad promotora, para la identificación y posterior venta de los elementos privativos: los pisos y locales. Y para fijar las normas comunitarias.

ARTº 553-9. ESCRITURA DE CONSTITUCIÓN Y CONSTANCIA EN EL REGISTRO DE LA PROPIEDAD

1. El título de constitución del régimen de propiedad horizontal debe constar en una escritura pública, que en todo caso debe contener:

a) La descripción del inmueble en conjunto, que debe indicar si está terminado o no, y la relación de los elementos, instalaciones y servicios comunes de que dispone.

b) La descripción de todos los elementos privativos, con el correspondiente número de orden interno en el inmueble, la cuota general de participación y, si procede, las especiales que les corresponden, así como la superficie útil, la situación, los límites, la planta, el destino y, si procede, los espacios físicos o los derechos que constituyan sus anexos o vinculaciones.

c) Un plano descriptivo del inmueble.

d) Los estatutos, si existen.

e) Las reservas de derechos o facultades, si existen, establecidas a favor del promotor o de los constituyentes del régimen.

f)) La previsión, si procede, de formación de subcomunidades.

2.1. LOS ELEMENTOS PRIVATIVOS QUE COMPONEN LA FINCA Y LA COMUNIDAD DE PROPIETARIOS.

En la escritura de división horizontal se van a identificar y numerar los distintos elementos privativos en que se va a componer la finca y la comunidad.

FORMULARIO. EJEMPLO DE DEFINICION DE ELEMENTOS PRIVATIVOS.

LOCAL IZQUIERDO. Local destinado a actividad comercial, de 125 m cuadrados aproximados, se compone de una dependencia única, con lavabo interior.

LOCAL DERECHO.

PISO ENTRESUELO PRIMERA.

PISO ENTRESUELO SEGUNDA.

ETC.......

Y van a aparecer en dicha escritura ya que la sociedad promotora tiene interés en su posterior venta. Como hemos dicho en un capítulo anterior, al proceder a la venta de las primeras entidades, se va a poder constituir una Comunidad de Propietarios, al entrar nuevos propietarios en el edificio.

✔ En la identificación de cada elemento privativo, aparecerá un ordinal, ENTIDAD NUMERO UNO, la identificación, LOCAL DERECHO, una identificación para diferenciarlo del resto de entidades privativas, TIENE ACCESO DESDE LA CALLE, una cabida, DE 110 METROS CUADRADOS aproximados, unos linderos LINDA CON EL NUMERO... DE LA CALLE..... y un elemento esencial EL COEFICIENTE DE PROPIEDAD CON RELACIÓN AL RESTO DE EDIFICIO, O CUOTA DE PARTICIPACIÓN.

Veamos en detalle estos requisitos:

El ORDINAL: sirve para numerar los distintos pisos y locales de la finca, normalmente empiezan con el primer local y acaban con el último ático o sobreático.

LA IDENTIFICACIÓN: para la concreción de ese piso o local, si es un piso, normalmente se relaciona su composición interior: *se compone de dos habitaciones, salón comedor.*

LA CABIDA: La cabida, en nuestro sistema jurídico, es aproximada, si en la escritura se pueda hacer referencia a que el piso tiene 92 metros cuadrados, ello es aproximado. La propietaria que ha adquirido ese piso no puede ocupar el rellano si le faltan 2 metros. La cabida es la existente en realidad, y la mención en la escritura no concede derecho de propiedad. Y lo mismo ocurre con los locales y con los áticos. Los pisos áticos no pueden ocupar más terraza comunitaria si su interior del piso tiene menos metros de los que le aparecen en su escritura.

LOS LINDES: Pueden aparecer como elemento diferenciador entre piso primero puerta primera y segunda, por ejemplo.

LA CUOTA DE PARTICIPACIÓN: Es el elemento esencial para la administración económica de una Comunidad de Propietarios, y para los votos en Juntas, etc. A lo largo de esta obra veremos su trascendencia en el funcionamiento de las Comunidades de Propietarios.

Por ello, vayamos al estudio en detalle de la CUOTA DE PARTICIPACIÓN.

ARTº 553-3. CUOTA

1. La cuota de participación:

a) Determina y concreta la participación que corresponde a los elementos privativos sobre la propiedad de los elementos comunes.
b) Sirve de módulo para fijar la participación en las cargas, los beneficios, la gestión y el gobierno de la comunidad y los derechos de los propietarios en caso de extinción del régimen.
c) Establece la distribución de los gastos y el reparto de los ingresos, salvo pacto en contrario.
2. Las cuotas de participación correspondientes a los elementos privativos se expresan en porcentaje sobre el total del inmueble y se fijan proporcionalmente a la superficie y ponderando el uso, el destino y los demás datos físicos y jurídicos de los bienes que integran la comunidad.

2.2. LA CUOTA DE PARTICIPACIÓN DE LOS ELEMENTOS PRIVATIVOS.

La cuota de participación es el porcentaje de cada entidad privativa con relación al total edificio o Comunidad. A los elementos comunes no se les atribuye ningún porcentaje.

Las cuotas de participación se fijan en porcentajes; y se asignan de manera proporcional a las superficies de las entidades, su uso y destino y las circunstancias físicas y jurídicas.

Formulario: EJEMPLO DE FIJACIÓN DE LA CUOTA DE PARTICIPACIÓN.

La cuota de participación de una entidad podría ser, por ejemplo:

"Piso 1º 1ª: Le corresponde una cuota de participación del 4,35%".

El criterio de la superficie puede ser el criterio dominante para determinar las cuotas, pero no es el único. Este criterio de la superficie puede ser corregido por otros parámetros tales como si el piso o local forma esquina, el piso más alto o el más bajo, etc. La cabida de la entidad, por sí sola, no debe ser la que determine la cuota de participación, ya que otros elementos, como su ubicación dentro del edificio o su más rápido acceso a los elementos comunes, se han considerado como factores ligeramente correctores.

La cuota de participación marca la identidad individual de cada piso o local; sin ella no se puede hablar de propiedad privada y singular, de tal manera que la Comunidad podrá reivindicar como elemento común todo aquello que no figure con carácter independiente y con asignación de coeficiente, dejando a salvo la utilización personal que se pueda hacer de determinadas zonas, como consecuencia de disposición estatutaria.

✔ Quien fija la cuota de participación de cada entidad (piso o local) no es la Comunidad de Propietarios, sino la sociedad promotora y su Notaría a la que ha acudido a formalizar la escritura de división horizontal.

> **Artº 553-1. DEFINICIÓN**
> 1. El régimen jurídico de la propiedad horizontal implica, para los propietarios, el derecho de propiedad en exclusiva sobre los elementos privativos y en comunidad con los demás propietarios sobre los elementos comunes.
> 2. El régimen jurídico de la propiedad horizontal requiere el otorgamiento del título de constitución y supone:
> a) La existencia, presente o futura, de uno o más titulares de la propiedad de al menos un inmueble integrado por elementos privativos y elementos comunes.
> b) La determinación de la cuota de participación en los elementos comunes que corresponde a cada elemento privativo.

Y puede decirse que entre ambos fijan de forma discrecional el reparto de cuotas comunitarias.

La única exigencia es que la suma de todas las cuotas debe dar como resultado: 100.

Para la modificación de las cuotas de participación de una entidad, se precisa la UNANIMIDAD ya que, si se modifica una cuota, deben variarse todas, para que la suma siga dando como resultado 100.

Si no suman 100, entonces se trata de un error. Ese error es infrecuente ya que lo propone la sociedad promotora, lo revisa la Notaría que autoriza la escritura, y también lo revisa el Registro de la Propiedad, cuando inscriben la escritura.

Para corregir errores, no obstante, los Tribunales admiten la posibilidad de que también sea el Juez quien, aunque no exista la mencionada unanimidad, cambie las cuotas ya establecidas, lo que la doctrina justifica por la necesidad de corregir errores materiales de consideración, abusos o injusticias cometidas, en muchas ocasiones por los constructores, al atender a criterios distintos de la «superficie útil de cada piso o local en relación con el total del inmueble, su emplazamiento interior o exterior, su situación y el uso que se presuma racionalmente que va a efectuarse de los servicios o elementos.»

> **Artº 553-3. CUOTA**
> 1.- La cuota de participación:
> 3. Las cuotas de participación se determinan y se modifican por acuerdo unánime de los propietarios o, si este no es posible, por medio de la autoridad judicial o de un procedimiento de resolución extrajudicial de conflictos.

4. Pueden establecerse, además de la cuota de participación, cuotas especiales para determinados gastos.

Como se ha dicho, la modificación de un solo coeficiente (o de una entidad) comporta que deban modificarse todo el resto de coeficientes, y que esa operación afecte a todas las inscripciones registrales del resto de entidades de la finca.

En caso de unión de dos o más entidades o de división de una entidad en varias, la nueva cuota de participación vendrá fijada automáticamente por la operación aritmética correspondiente a la variación física producida. Para llegar a este resultado no se precisa el consentimiento de la Junta de Propietarios, si lo permiten los Estatutos, y la modificación puede tener acceso al registro sin la ratificación comunitaria. Así pues, las operaciones aritméticas que se realicen por los propietarios afectados son libres y tienen trascendencia a terceros a través del registro de la propiedad. Además, no afectan al resto de cuotas que no se modifican ni se ven alteradas.

✔ Esa cuota de participación es el elemento básico para la administración económica de la Comunidad; ya que la contribución a los gastos comunitarios (el pago de las cuotas comunitarias) lo es a resultas del coeficiente de cada entidad, y no en relación al uso que haga de los elementos comunitarios. El mayor o menor uso previsto de elementos comunes es uno de los factores que se toman (o se deben tomar) en consideración en el momento de fijar los coeficientes de las distintas entidades que se integran en propiedad horizontal. Ahora bien, una vez fijado su coeficiente, esa entidad contribuye a los gastos según éste o según acuerdo de la Comunidad de Propietarios, pero nunca en relación a un supuesto uso o uso real de los elementos comunitarios.

▷ Varias cuotas de participación. El piso o local puede contener varias cuotas de participación, si esa entidad pertenece a varias comunidades de propietarios o subcomunidades. Así, ello ocurre con frecuencia en las Urbanizaciones. En éstas, cada apartamento tiene una cuota de participación en relación al edificio en el que está situado, y, además, una cuota de participación en los elementos comunes de la Urbanización. Esta práctica puede darse, también, dentro de un mismo edificio con varias escaleras. En este caso, el piso o local puede tener una cuota de participación en la escalera y otra en el edificio.

CONCLUSIÓN: la cuota de participación tendrá multitud de efectos en el funcionamiento de la Comunidad de Propietarios y por ello es esencial la identificación de cada cuota de cada piso o local.

Para la modificación de la cuota de participación de una entidad se precisará el voto unánime de todos los propietarios de la finca. Y ello por cuanto, como hemos dicho, si se modifica una cuota, ello provoca la correlativa modificación de todo el resto de cuotas, para que el resultado siga siendo el de 100.

Ahora bien, no se precisará la modificación del resto de cuotas de propiedad para la unión de dos entidades en una, o la división de una entidad en dos, por cuanto esta operación aritmética sólo afectará a esas entidades y no al resto.

En cuanto al cuórum para dicha unión o segregación, dependerá de lo que fijen los estatutos de esa comunidad.

2.3. LOS DERECHOS DE LOS PROPIETARIOS CON RESPECTO A LOS ELEMENTOS PRIVATIVOS: OBRAS.

Todo propietario tiene derecho a efectuar obras en sus elementos privativos. El Derecho de propiedad le concede esta posibilidad.

Artº 553-33. ELEMENTOS PRIVATIVOS

Solo pueden configurarse como elementos privativos de un inmueble las viviendas, los locales y los espacios físicos que pueden ser objeto de propiedad separada y que tienen independencia funcional porque disponen de acceso directo o indirecto a la vía pública.

Ahora bien, al encontrarse estos elementos privativos en una Comunidad de Propietarios, estos derechos están limitados. Si la vivienda fuera una casa unifamiliar aislada, no tendría estas limitaciones, pero no es el caso en una Comunidad de Propietarios.

Sin perjuicio de las exigencias de cada Ayuntamiento (Licencias de obras, etc), las obras en un elemento privativo tienen unos límites que impone la normativa reguladora de la propiedad horizontal, tanto estatal como catalana.

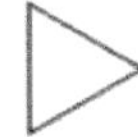

Límites de los propietarios al efectuar obras en su elemento privativo:

La limitación principal y prioritaria de las obras privativas se refiere a la especial protección de elementos comunitarios.

Artº 553-36. USO Y DISFRUTE DE LOS ELEMENTOS PRIVATIVOS

1. Los propietarios de elementos privativos pueden ejercer todas las facultades del derecho de propiedad
sin ninguna otra restricción que las que derivan del régimen de propiedad horizontal.

2. Los propietarios de un elemento privativo pueden hacer obras de conservación y de reforma siempre y cuando no perjudiquen a los demás propietarios ni a la comunidad y que no disminuyan la solidez ni la accesibilidad del inmueble ni alteren la configuración o el aspecto exterior del conjunto.

3. Los propietarios que se propongan hacer obras en su elemento privativo deben comunicarlo previamente a la presidencia o a la administración de la comunidad. Si la obra supone la alteración de elementos comunes, es preciso el acuerdo de la junta de propietarios. En caso de instalación de un punto de recarga individual de vehículo eléctrico, solo es preciso enviar a la presidencia o a la administración el proyecto técnico con treinta días de antelación al inicio de la obra y la certificación técnica correspondiente una vez finalizada la instalación. Dentro de este plazo la comunidad puede proponer una alternativa razonable y más adecuada a sus intereses generales.
Si la instalación alternativa no se hace efectiva en el plazo de dos meses, el propietario interesado puede ejecutar la instalación que había proyectado inicialmente.

4. La comunidad puede exigir la reposición al estado originario de los elementos comunes alterados sin su consentimiento. Sin embargo, se entiende que la comunidad ha dado su consentimiento si la ejecución de las obras es notoria, no disminuye la solidez del edificio ni supone la ocupación de elementos comunes ni la constitución de nuevas servidumbres y la comunidad no se ha opuesto en el plazo de caducidad de cuatro años a contar de la finalización de la obra.

El artº 553.36 del Código Civil de Catalunya establece en su número 1 que los propietarios de elementos privativos pueden hacer obras en ellos, siempre que no perjudiquen la solidez del edificio, pero si la obra comporta alteración de elementos comunes, señala el nº 2, ha de ser autorizada por la comunidad, que puede exigir la reposición al estado originario de los elementos comunes alterados sin su consentimiento, según establece el nº 3 del mismo apartado.

Así, en resumen, las obras no podrán:

1.º Afectar a la solidez del edificio, por lo que no pueden afectar a las vigas ni a elementos estructurales, como son las paredes de carga, vigas, ni otros elementos estructurales.

Este es un límite objetivo. Para su acreditación, a la Comunidad de Propietarios le basta un simple informe técnico en el que se certifique que esa pared es de carga, o que se ha afectado una viga, etc.

No pueden afectar a la fachada, ni a la cubierta, ni modificar los bajantes de la comunidad, ni los montantes de los suministros.

2.º No pueden alterar la composición o aspecto exterior del edificio, porque ello redunda en el menoscabo de algo en que participan los demás copropietarios.

Este límite, en cambio, es subjetivo. Que se altere estéticamente el aspecto del edificio dependerá de cada parecer y de cada interpretación.

3.º Tampoco puede hacer obras que perjudiquen los derechos de otro copropietario.

En este caso, ya se quejará el propietario afectado, lo que iniciará la actuación de la Comunidad de Propietarios.

▷ Prescripción de las infracciones por obras que afecten a elementos comunes.

Si se ha cometido una infracción por parte de un propietario al efectuar obras en su piso o local, la Comunidad debe actuar de forma diligente y rápida si quiere evitar que esa infracción quede sin posibilidad de respuesta.

Y ello por cuanto, en nuestro derecho, todas las infracciones, en todas las áreas del Derecho, prescriben. Ello significa que, todo y ser una infracción, no puede ser sancionada o perseguida al cabo de un cierto tiempo. El transcurso del tiempo, pues, convalida esa infracción, ya que impide su sanción o que pueda ser revocada la actuación.

Pues bien, en la Ley estatal , la LPH, no existe un artículo que establezca un plazo concreto de tiempo en el que las obras efectuadas por un propietario y que han afectado a elementos comunes o a la configuración exterior del edificio, queden prescritas. Pero sí en el CC CAT.

En el CC CAT se establece expresamente que el plazo es de cuatro años. Por tanto, al cabo de cuatro años esa infracción por obras que afectan a elementos comunes o a la configuración exterior, ya no se podrá perseguir ni ordenar su reposición al estado anterior.

Ahora bien, esos cuatro años cuentan desde la finalización de la obra. Si bien se considera que si ha estado oculta, entonces cuenta desde que la Comunidad ha tenido conocimiento de ella, por cualquier motivo.

Obras que comporten el cambio de destino de la entidad privativa.

La pregunta es la relativa a si el propietario de un piso, puede convertirlo en despacho profesional, y si el del local, lo puede convertir en vivienda.

Para contestar a esta pregunta, en primer lugar, hemos de comprobar la regulación de los Estatutos de la Comunidad.

Es decir, primer hay que examinar si existe alguna cláusula limitativa del destino de las entidades de la finca.

Formulario. CLAUSULA LIMITATIVA DEL USO DE ELEMENTOS PRIVATIVOS.

Sería una cláusula limitativa la siguiente:

Los propietarios de los locales sólo pueden ejercer en ellos actividades comerciales o profesionales, quedando prohibido su uso como vivienda.

Los propietarios de entidades destinadas a viviendas sólo podrán ejercer en ellos actividades residenciales, quedando prohibidas actividades comerciales y/o profesionales.

Los propietarios de entidades destinadas a viviendas no podrán destinarlas al arrendamiento turístico ni de uso turístico.

Si no existen cláusulas limitativas del destino, se entiende que el Derecho de Propiedad de los titulares de las entidades privativas no están limitados; y, por tanto, pueden cambiar el destino de sus entidades, ya que para que exista una limitación a ese Derecho de Propiedad debe constar expresamente en los Estatutos de la Comunidad.

En definitiva, a falta de limitación, la mención del elemento privativo como "vivienda" o "local" sólo es enunciativo de un primer destino, pero no es limitativo del derecho de propiedad.

2.4. EL DESTINO DE LOS ELEMENTOS PRIVATIVOS.

En cuanto al destino del elemento privativo, el propietario puede variar el destino del piso o local a cualquier otro, a excepción de que esté expresamente prohibido en los Estatutos.

Artº 553-37. DISPOSICIÓN DE LOS ELEMENTOS PRIVATIVOS
1. Los propietarios de elementos privativos los pueden modificar, enajenar y gravar y pueden hacer con ellos todo tipo de actos de disposición. Si establecen servidumbres en beneficio de otras fincas, estas servidumbres se extinguen en caso de destrucción o derribo del edificio.
2. Los propietarios, en los casos de arrendamiento o de cualquier otra transmisión del disfrute del elemento privativo, son responsables ante la comunidad y terceras personas de las obligaciones derivadas del régimen de propiedad horizontal.
3. La persona que enajena un elemento privativo debe comunicar el cambio de titularidad a la secretaría de la comunidad. Mientras no lo comunique responde solidariamente de las deudas con la comunidad

Es decir, siguiendo con su derecho a realizar obras en su piso o local, estas obras pueden comportar el cambio de destino, y que un despacho se transforme en vivienda, o viceversa; y que un local se convierta en vivienda.

Existe una extensa línea jurisprudencial que posibilita que el propietario, en base a sus derechos dominicales, pueda variar el destino de su piso o local, a excepción de la prohibición expresa y siempre que no fuera una actividad molesta, insalubre o peligrosa.

Es decir, los derechos de propiedad permiten a su titular el cambio de destino, ya que es un derecho fundamental, y este derecho sólo puede ser limitado si consta expresamente tal limitación en los estatutos de la comunidad.

O incluso podemos encontrar cláusulas que permitan el cambio de destino de los elementos privativos.

FORMULARIO DE CLAUSULA ESTATUTARIA NO LIMITATIVA DE CAMBIO DE DESTINO.

Los propietarios de elementos privativos podrán variar el destino que fija para cada entidad la escritura de división horizontal, sin necesidad de consentimiento por parte de la Comunidad de Propietarios.

O bien:

En las entidades destinadas a viviendas en la escritura de división horizontal, se podrán ejercer actividades profesionales y comerciales, siempre que así lo permitan las ordenanzas municipales.

✔ En las entidades destinadas a locales comerciales en la escritura de división horizontal, se podrán destinar a viviendas, siempre que lo permitan las ordenanzas municipales.

En definitiva, si no existe limitación expresa, se debe interpretar que el derecho de propiedad es preeminente y que puede variarse por los sucesivos propietarios.

El destino fijado en la escritura de división horizontal, será el inicial, el que el promotor pensó para esos elementos, pero que el primer adquirente ya podrá variar en base a sus facultades dominicales si no consta una prohibición expresa en los estatutos.

✔ Finalmente hay que hacer especial mención de la posibilidad de prohibición de usos turísticos en los pisos depende de los Estatutos. Así, si no existe norma limitativa alguna en los Estatutos, todo propietario y/o arrendatario puede destinar su entidad al alquiler como piso turístico. Por tanto, a falta de regulación, esta posibilidad entra de lleno en los derechos dominicales del propietario y, en consecuencia, del posible arrendatario.

Ahora bien, también cabe la posibilidad de que la Comunidad de Propietarios apruebe una cláusula o norma estatutaria que limite específicamente el destino de las entidades privativas como alquiler turístico, si no lo prevé la escritura de división horizontal.

2.5. LA TITULARIDAD DE LOS ELEMENTOS PRIVATIVOS. DEUDAS.

El propietario de un elemento privativo puede ser unipersonal, o puede de varias personas e incluso de sociedades mercantiles.

Ahora bien, en caso de ser varios los propietarios lo que en definitiva determina es que la obligación de los copropietarios de los elementos privativos de contribuir a las cuotas de participación, y de cualquier obligación de uso de elementos comunes y de acuerdos comunitarios tiene carácter solidario.

Ello comporta que la Comunidad puede dirigirse contra cualquiera de ellos para que respondan de la totalidad de una deuda, o de una actuación contraria a las normas de uso, sin que sea exigible una actuación particularizada a cada propietario en proporción a su cuota de propiedad.

Artº 553-4. CRÉDITOS Y DEUDAS

1. Todos los propietarios son titulares mancomunados, tanto de los créditos constituidos a favor de la comunidad como de las deudas contraídas válidamente en su gestión, de acuerdo con las respectivas cuotas de participación.
2. El importe de la contribución de cada propietario a los gastos comunes, ordinarios y extraordinarios, y al fondo de reserva es el que resulta del acuerdo de la junta y de la liquidación de la deuda según la cuota que corresponda.
3. Los créditos de la comunidad contra los propietarios por los gastos comunes, ordinarios y extraordinarios, y por el fondo de reserva correspondientes a la parte vencida del año en curso y a los cuatro años inmediatamente anteriores, contados del 1 de enero al 31 de diciembre, tienen preferencia de cobro sobre el elemento privativo con la prelación que determine la ley.
4. Los créditos devengan intereses desde el momento en que debe efectuarse el pago correspondiente y este no se hace efectivo.

Por ejemplo, bastaría reclamar a uno de los propietarios el total importe de la deuda o la reparación del elemento común. Este propietario, debería hacer frente a la totalidad de la deuda y luego repercutir al resto de propietarios su parte proporcional. Pero la Comunidad no se ve afectada por una pluralidad de propietarios.

Pero es que, además, cada elemento privativo está sujeto a lo que se denomina, la AFECCIÓN REAL, y esa entidad, en caso de venta, está obligada a pagar las deudas del propietario anterior.

En definitiva, la Comunidad puede reclamar a un nuevo propietario, deudas que ostente ese piso o local y que han sido generadas por un propietario anterior.

El importe a reclamar, será el resultante de las cuotas y derramas adeudadas, correspondientes al año de la compra y los cuatro años anteriores, como marca el precepto normativo.

EJEMPLO.

Si el piso o local se vende en octubre de 2025, el nuevo comprador, debería hacer frente a las deudas del año 2025 y los cuatro anteriores: 2024, 2023, 2022 y 2021.

Pero si compra en enero de 2026, ha de hacer frente al 2026 y cuatro anteriores: 2025, 2024, 2023 y 2022.

2.6. ANEXOS A ELEMENTOS PRIVATIVOS.

Los anexos a los pisos y a los locales, deben constar expresamente identificados en la escritura de división horizontal, con indicación del elemento privativo al que le son anexos, y este hecho puede haber determinado, en el momento inicial, la fijación de una cuota de participación distinta a la de otro elemento privativo.

Son anexos, por ejemplo, los trasteros o incluso plazas de aparcamiento si el parquing no se ha constituido en una subcomunidad de propietarios.

Artº 553-35. ANEXOS
Los anexos se determinan en el título de constitución como espacios físicos o derechos vinculados de modo inseparable a un elemento privativo, no tienen cuota especial y son de titularidad privativa a todos los efectos.

En este caso, en las posteriores ventas de esos elementos privativos, se venderán también los anexos, que no pueden separarse de los pisos o locales a los que van anexos.

EJEMPLO: Si la plaza de aparcamiento va anexa al piso, entonces no puede venderse separadamente. Pero si es una entidad independiente, entonces se puede vender el piso y no la plaza de aparcamiento o viceversa. En este último caso, la plaza de aparcamiento tendría un coeficiente de propiedad propio.

2.7. LA PROHIBICIÓN DE ACTIVIDADES MOLESTAS EN ELEMENTOS PRIVATIVOS.

El propietario del piso o local no tiene ilimitado su derecho de uso de su elemento privativo, ya que no puede causar molestias al resto de propietarios y no puede contravenir, en su utilización, ni las normas comunitarias ni las normas de normal convivencia y tolerancia.

En definitiva, el resto de propietarios no tienen ninguna obligación a soportar molestias, desórdenes o usos contrarios a la moral ni a las buenas costumbres.

Al propietario del piso o local, y al arrendatario del mismo, no les está permitido realizar en él actividades contrarias a la convivencia normal en la Comunidad. En caso de contravención a esta prohibición, el Presidente, a iniciativa propia o de una cuarta parte de los propietarios, debe requerir el cese de dichas actividades (apartado 40).

553-40. PROHIBICIONES Y RESTRICCIONES DE USO DE LOS ELEMENTOS PRIVATIVOS Y COMUNES

1. Los propietarios y los ocupantes no pueden hacer en los elementos privativos, ni en el resto del inmueble, actividades contrarias a la convivencia normal en la comunidad o que dañen o hagan peligrar el inmueble.
Tampoco pueden llevar a cabo las actividades que los estatutos, la normativa urbanística o la ley excluyen o prohíben de forma expresa.
2. La presidencia de la comunidad, si se hacen las actividades a que se refiere el apartado 1, por iniciativa propia o a petición de una cuarta parte de los propietarios, debe requerir fehacientemente a quien las haga que deje de hacerlas. Si la persona requerida persiste en su actividad, la junta de propietarios puede ejercer contra los propietarios y ocupantes del elemento privativo la acción para hacerla cesar, que debe tramitarse de acuerdo con las normas procesales correspondientes.
Una vez presentada la demanda, que debe acompañarse del requerimiento y el certificado del acuerdo de la junta de propietarios, la autoridad judicial debe adoptar las medidas cautelares que considere convenientes, entre las cuales, el cese inmediato de la actividad prohibida.
3. La comunidad tiene derecho a la indemnización por los perjuicios que se le causen y, si las actividades prohibidas continúan, a instar judicialmente la privación del uso y disfrute del elemento privativo por un período que no puede exceder de dos años y, si procede, la extinción del contrato de arrendamiento o de cualquier otro que atribuya a los ocupantes un derecho sobre el elemento privativo.

✔ Si el propietario del piso o local, o el arrendatario, persiste en su actividad molesta, la Comunidad puede instar demanda de cesación de dichas actividades, que se concretará en la privación del piso o local, en caso de ser el propietario, por un período no superior a dos años, y en la rescisión del contrato de alquiler, si es el arrendatario. Ambas sanciones llevarán aparejadas la indemnización económica correspondiente por los perjuicios causados.

La acción de cesación se insta en demanda de juicio ordinario que, tras fundamentar la "molestia" en el ejercicio de la actividad o la "prohibición" en la instauración de la misma, acabe solicitando el actor la privación del piso o local por un plazo (que no puede superar los dos años), o si es arrendatario (lo cual crea un litisconsorcio pasivo necesario de éste) la resolución contractual y lanzamiento del arrendatario.

Obsérvese que la sanción es más grave para el arrendatario que para el propietario, ya que si bien la privación del uso al propietario es temporal, para el arrendatario es definitiva y comporta la resolución del contrato de arrendamiento y su lanzamiento.

Una constante preocupación en la convivencia comunitaria se ha materializado en las actividades ruidosas de los locales de ocio y, en menor medida, de los residentes en un piso.

Ejemplo: Son muchos los ejemplos de procesos judiciales, basados en la acción de cesación, contra locales destinados a ocio nocturno. Pero también contra locales que ejercen actividades industriales y que provocan ruido.

Ahora bien, no sólo puede instarse este proceso judicial contra locales, también contra actividades ruidosas en pisos. Así, existen quejas reiteradas por ruidos en un piso (fiestas nocturnas, etc) puede instarse la misma acción que hemos descrito.

Pero también se han admitido demandas por ruidos derivados de pisos y que provenían de instrumentos musicales, durante el día, o de molestias derivadas de desordenes de los ocupantes, etc.

Lo que es relevante y trascendente es que la Comunidad no permita el ejercicio de actividades molestas en el edificio, ya que es un Derecho Fundamental de los propietarios, el descanso nocturno y el respeto a los derechos al domicilio. Ningún propietario tiene derecho a perturbar estos derechos y, si lo hace, merece que la Comunidad reaccione y acuda a los Tribunales en defensa de sus derechos fundamentales.

La tarea de los Administradores de Fincas es velar por el cumplimiento de estas normas y por el respeto a la convivencia en los edificios.

3. La cuota de participación

3.1. DEFINICION.

A todo elemento privativo, en la escritura de división horizontal, se le adjudicará una CUOTA DE PARTICIPACIÓN. A ello hemos hecho una referencia en el capítulo anterior.

Es el elemento básico en el funcionamiento de las comunidades de propietarios, y tendrá varias utilidades en el funcionamiento económico y funcional, como veremos.

En la escritura de división horizontal, constará:

FORMULARIO. DEFINICIÓN DE ELEMENTOS PRIVATIVOS.

a.- Los comparecientes establecen para el edificio descrito el régimen de propiedad horizontal regulado por la Ley 49/1960, de 21 de Julio, en su vigente redacción, y al amparo de lo dispuesto en el artículo 28.4 de la Ley del Suelo y en la Resolución DGRN de 10 de Septiembre de 2018, la dividen en los elementos independientes que más adelante se describen.

LOCAL DERECHO......

Le corresponde un coeficiente de propiedad del: 9,59 %.

LOCAL IZQUIERDO........

Le corresponde un coeficiente del 9,50 %.

ENTRESUELO PRIMERA.........

Le corresponde un coeficiente del 4,54 %.

ETC. ETC. ETC.

La suma de todos estos coeficientes debe dar un resultado de 100. No puede dar otra cifra, ni superior ni inferior.

Tanto la sociedad promotora, como el Notario autorizante, y, finalmente, el Registro de la Propiedad, comprobarán que la suma de como resultado 100.

✓ La cuota de participación es la que marca la identidad individual de cada piso o local; sin ella no se puede hablar de propiedad privada y singular, de tal manera que la Comunidad podrá reivindicar como elemento común todo aquello que no figure con carácter independiente y con asignación de coeficiente, dejando a salvo la utilización personal que se pueda hacer de determinadas zonas, como consecuencia de disposición estatutaria.

También se le denomina coeficiente de propiedad, todo y que ambos conceptos son distintos y no tienen el mismo significado, como veremos.

3.2. FIJACIÓN DE LA CUOTA DE PARTICIPACIÓN.

La cuota de participación la fija la sociedad promotora en la escritura de división horizontal o el Notario autorizante de dicha escritura.

> **Artº 553-9. ESCRITURA DE CONSTITUCIÓN Y CONSTANCIA EN EL REGISTRO DE LA PROPIEDAD**
> 1. El título de constitución del régimen de propiedad horizontal debe constar en una escritura pública, que en todo caso debe contener:
> b) La descripción de todos los elementos privativos, con el correspondiente número de orden interno en el inmueble, la cuota general de participación y, si procede, las especiales que les corresponden, así como la superficie útil, la situación, los límites, la planta, el destino y, si procede, los espacios físicos o los derechos que constituyan sus anexos o vinculaciones.

Vuelve a manifestarse que la Comunidad de Propietarios de ese edificio no tiene intervención en la fijación de la cuota de participación de los distintos pisos y locales.

Además, podemos decir que la sociedad promotora o el Notario autorizante fijan esta cuota de participación de forma discrecional y sin unas reglas estrictas.

Tanto la Ley estatal como la catalana conceden bastante margen discrecional en el momento de fijar la cuota de participación.

En este sentido, el art. 553-3 CCAT , en una redacción que en el fondo poco difiere del art. 5 de la LPH, establece que las cuotas "se expresan en porcentaje sobre el total del inmueble y se fijan proporcionalmente a la superficie y ponderando el uso, el destino y los demás datos físicos y jurídicos de los bienes que integran la comunidad".

Artº 553-3. CUOTA

2. Las cuotas de participación correspondientes a los elementos privativos se expresan en porcentaje sobre el total del inmueble y se fijan proporcionalmente a la superficie y ponderando el uso, el destino y los demás datos físicos y jurídicos de los bienes que integran la comunidad.

Por tanto, una conclusión es clara, el coeficiente de propiedad o la cuota de participación, no tiene por qué fijarse de forma aritmética a la cabida de cada piso o local.

Un piso que tenga una cabida de la mitad de extensión que un local, no tiene por qué tener la mitad de coeficiente o cuota de participación.

Y ello por cuanto, como dice la norma, sirve de ponderación y de criterio para la fijación de la cuota, elementos como el uso, destino, y datos físicos.

Datos físicos, por ejemplo, pueden ser los de si el piso da a la fachada delantera o trasera, o si tiene un balcón o dos, etc.

Por tanto, no sólo la cabida de cada elemento privativo es el que determina cada coeficiente de propiedad o cuota de participación.

Es evidente que los datos físicos pueden ponderar la fijación del coeficiente o cuota, pero sin que puedan darse abusos o errores. Lo que no sería justificable es que un piso tuviera un coeficiente del doble que otro de la misma cabida. Ahora bien, sí que podría suceder que un piso superior tuviera unas décimas más que otro inferior, o que uno de la fachada delantera tuviera unas décimas más que otro que da a la fachada trasera, a pesar de tener la misma cabida.

Así pues, los datos físicos ponderan el coeficiente o cuota.

Por ello, la determinación del porcentaje de participación de cada elemento privativo que integra la comunidad es un acto trascendental en el régimen de propiedad horizontal, motivo por el cual la cuota de participación se considera un elemento esencial de dicho régimen. Siendo así, cualquier defecto que se detecte en el reparto de coeficientes deberá poder ser corregido, bien por unanimidad de los propietarios, en junta general, bien porque así se declare por la autoridad judicial en el procedimiento declarativo correspondiente.

3.3. DERECHOS QUE CONCEDE LA CUOTA DE PARTICIPACIÓN.

En primer lugar, desde el punto de vista patrimonial, representa la parte o fracción que corresponde a cada propietario en el valor total del edificio, es lo que se denomina coeficiente de propiedad.

Este coeficiente de propiedad es relevante en los supuestos de venta o arrendamiento de algún elemento común del edificio, casos de expropiación forzosa del inmueble, constitución de derechos de vuelo o sobreedificación, o percepción de indemnizaciones en el ámbito del aseguramiento.

En estos casos, el coeficiente determinará el porcentaje que recibirá ese elemento privativo de los beneficios de la venta o arrendamiento.

Desde el punto de vista político o de gobierno, es determinante en el régimen de mayorías para adoptar acuerdos por la junta de propietarios, especialmente para aquellos supuestos en que para alcanzar la mayoría no solamente es preciso que se logre una mayoría personal, sino que también es necesario que se alcance mayoría de cuotas (sistema de doble mayoría).

Por tanto, sí que puede decirse que una entidad que tenga un coeficiente mayor, tiene un mayor peso en las votaciones de la comunidad.

Y ello por cuanto, para que se adopte un acuerdo, debe darse la doble mayoría, de propietarios y de cuotas de participación.

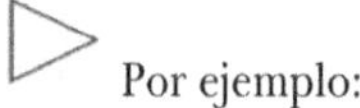

Por ejemplo:

4 propietarios votan a favor

3 en contra.

Pero en estos 3 que votan en contra, se encuentran los dos locales, con un coeficiente mayor que los pisos.

Pues en este caso, no se alcanzaría la mayoría de propietarios y cuotas. Ya que los 3 que votan en contra, tienen mayor coeficiente que los 4 que votaron a favor, y no se alcanza la doble mayoría y no se adopta el acuerdo.

Vemos pues, que da un mayor peso en los votos, tener un mayor coeficiente. Y ello ocurre no sólo en los locales, sino también en los pisos que tienen mayor coeficiente que otros.

Por ejemplo, pisos de 3 habitaciones con coeficientes mayores que pisos de 2 habitaciones.

CONCLUSIÓN: A resultas de lo expuesto, los votos no pueden contabilizarse A MANO ALZADA, ya que cada elemento privativo (cada mano alzada) debe contabilizarse por su coeficiente de propiedad. Es decir, debemos contabilizar los votos mediante un listado de asistentes a la junta, donde conste para cada elemento privativo su coeficiente de propiedad; y, al finalizar los votos sumar los coeficientes de los que han votado a favor y de los que han votado en contra.

Como se ha dicho, la contribución de los gastos comunitarios lo es a resultas del coeficiente de cada entidad, pero no en relación al uso que haga de los elementos comunitarios. Puede decirse que el mayor o menor uso previsto de elementos comunes es uno de los factores que se toman (o se deben tomar) en consideración en el momento de fijar los coeficientes de las distintas entidades que se integran en propiedad horizontal.

Ahora bien, una vez fijado su coeficiente, esa entidad contribuye a los gastos según éste o según acuerdo unánime de la Comunidad de Propietarios, pero nunca en relación a un supuesto uso de los elementos comunitarios.

EJEMPLO: En un piso con un Coeficiente del 5,53% puede que sólo viva una persona, y que en un piso con un coeficiente del 4,33% vivan cuatro personas. Pues cada entidad pagará las cuotas o derramas según su coeficiente y no según el número de ocupantes.

3.4. OBLIGACIONES DERIVADAS DE LA CUOTA DE PARTICIPACIÓN. EL PAGO DE LAS CUOTAS COMUNITARIAS Y DERRAMAS.

Desde el punto de vista de la gestión o administración de la comunidad, la cuota sirve para determinar el montante económico con el que cada propietario debe contribuir a sufragar los gastos generales para el adecuado sostenimiento del inmueble. Es decir, las CUOTAS COMUNITARIAS para el presupuesto ordinario, y las DERRAMAS para cubrir gastos extraordinarios.

Así, como hemos dicho, el presupuesto anual ordinario, y las derramas a girar, se deben repartir por el coeficiente de participación de cada piso o local.

A excepción, eso sí, de las exclusiones de gastos.

EJEMPLO: Si el local no participa en gastos de ascensor, no participará en esos gastos ordinarios ni extraordinarios (derramas).

Es la Junta de Propietarios la que fija el importe que cada entidad debe abonar como gastos comunitarios, tanto ordinarios como extraordinarios (las derramas).

Para la fijación de las cuotas ordinarias, habrá que aprobar un presupuesto de gastos del ejercicio, y dividirlo entre las distintas entidades que conforman el edificio. La división se hará siguiendo los criterios que fijan los Estatutos. Es decir, por el coeficiente de propiedad, y con las exclusiones que fijen los mismos.

Ejemplo: Si los locales están expresamente excluidos de gastos de escalera y ascensor, la cuota de estos locales debe tener en cuenta que no van a participar en estos gastos. Ahora bien, también habrá que tener en cuenta que los locales tienen un coeficiente mayor que los pisos, y ello provocará que tengan una atribución mayor del resto de gastos.

Lo recomendable es aplicar el total gastos del año anterior (más un incremento de fondo de reserva) para calcular la cuota ordinaria del siguiente ejercicio.

En cuanto a las derramas, estas también se aprueban en la Junta correspondiente, que también fija la forma de reparto.

Ejemplo: Si los locales, nuevamente, están expresamente excluidos de gastos de escalera y ascensor, no participarán en la derrama que se apruebe para su reparación.

La Junta fija las fechas en que deben abonarse las cuotas y derramas.

Las cuotas pueden ser mensuales y trimestrales. Y fija que se procedan al cobro a principios de mes y de trimestre.

Las derramas quedan fijadas en las fechas del acuerdo de junta.

Ejemplo: las cuotas pueden ser trimestrales y las derramas girarse los meses que no coincidan con las derramas. Y se girarán el día 5 de cada mes, tanto unas como otras.

Las cuotas y derramas se giran con independencia de si la obra o gasto es anterior o posterior. Lo determinante es la fecha en que la Junta aprueba que se giren.

Ejemplo: Puede aprobarse una derrama para pagar una obra ya efectuada, ya que el instalador permite su financiación a un año. La obra se ha efectuado y se paga en los 12 meses posteriores, y se gira una derrama mensual para cubrir esa financiación.

O bien, se giran derramas para una obra que se va a iniciar el próximo año y se giran derramas para tener fondos para pagar la misma, en su momento.

Así, pues, lo determinante no es la fecha de la prestación u obra, sino la fecha en que van a girarse cada cuota o derrama.

Si un propietario no paga esa cuota o derrama, es moroso, y no podrá votar en las juntas, y su deuda puede ser reclamada judicialmente; y no podrá alegar que la prestación u obra no se ha realizado.

La obligación de pago nace en el momento en que la cuota o derrama se gira para su abono por parte de los distintos propietarios.

Pues bien, en caso de venta del piso o local, el vendedor está obligado al pago de cuotas y derramas hasta la fecha de la venta, y el comprador abonará las que se giren a partir de su compra.

Así lo establece claramente la LPH (artº 21.1) *Las obligaciones a que se refieren los apartados e) y f) del artº 9 deberán cumplirse por el propietario de la vivienda o local en el tiempo y forma determinados por la Junta....*"

Como también el artº 553.5 del CC CAT.

ARTº 553-5. AFECCIÓN REAL.

2.- .....En cualquier caso, sin perjuicio de la afección real establecida por el apartado 1, el transmitente responde de la deuda que tiene con la comunidad en el momento de la transmisión.

Y ello es así, por cuanto la obligación de pago de las cuotas y derramas es una obligación real y no personal.

Es el piso o local el que está obligado al pago de las cuotas y derramas. No es el propietario D. Luis o Dª Marta, es el piso o local, y sus propietarios quedan afectados por la obligación de pago del piso o local. Cada propietario debe abonar las cuotas del piso o local, mientras sea propietario y desde que es propietario.

Todo ello sin perjuicio de la afección real que obliga al comprador a hacer frente a una deuda del piso o local.

ARTº 553-5. AFECCIÓN REAL

1. Los elementos privativos están afectados con carácter real y responden del pago de los importes que deben los titulares, así como los anteriores titulares, por razón de los gastos comunes, ordinarios o extraordinarios, y por el fondo de reserva, que correspondan a la parte vencida del año en curso y a los cuatro años inmediatamente anteriores, contados del 1 de enero al 31 de diciembre, sin perjuicio, si procede, de la responsabilidad de quien transmite.

Pero las deudas anteriores deben abonarse por obligación legal, ya que así lo establece la normativa y es una garantía para las Comunidades de Propietarios.

No obstante, cada propietario del piso o local debe hacer frente a las cuotas o derramas generadas durante el periodo en que es o ha sido propietario.

Sin perjuicio de UN PACTO EN CONTRARIO.

Eso sí, las partes compradoras o vendedoras pueden acordar un trato distinto. Es decir, en la fijación del precio y condiciones de la venta, pueden acordar una cuestión distinta en cuanto a las cuotas y derramas.

Pero este PACTO es sólo entre las partes, frente a la Comunidad prevalecerá lo previsto en el artº 553-5 y la obligación de cada parte frente a las cuotas y derramas.

3.5. EL CERTIFICADO DE DEUDAS EN LA COMPRAVENTA.

Mecanismo instaurado por la LPH estatal, existe la obligación de que en las compraventas de pisos y locales, el vendedor aporte al Notario, un Certificado de estar al corriente en el pago de las cuotas y derramas.

Si no lo están, deben declarar la deuda que mantienen con la Comunidad, y las partes acordarán lo oportuno para abonar dicha deuda.

ARTº 553-5. AFECCIÓN REAL

2. Los transmitentes de un elemento privativo deben declarar que están al corriente de los pagos que les corresponden o, si procede, deben especificar los que tienen pendientes y deben aportar un certificado relativo al estado de sus deudas con la comunidad, expedido por quien ejerce la secretaría, en el que deben constar, además, los gastos comunes, ordinarios y extraordinarios, y las aportaciones al fondo de reserva aprobados pero pendientes de vencimiento. Sin esta manifestación y esta aportación no puede otorgarse la escritura pública, salvo que las partes renuncien expresamente a ellas. En cualquier caso, sin perjuicio de la afección real establecida por el apartado 1, el transmitente responde de la deuda que tiene con la comunidad en el momento de la transmisión.

✔ En este Certificado se expresarán las cuotas o derramas pendientes de girar, y ello ha creado la confusión de que esas cuotas o derramas son a cargo del vendedor.

Pero ello no es así, se especifican las cuotas o derramas pendientes de girar, para que el comprador conozca este dato relevante en su compra, pero no para que traslade la obligación de su pago al vendedor.

Como se ha dicho, a excepción de un pacto en contrario, pero ese pacto debe asumirse tras el correcto conocimiento de las obligaciones de cada parte en la compraventa.

3.6. LA MOROSIDAD Y SUS EFECTOS.

El impago de cuotas y derramas conlleva que ese piso o local entre en morosidad frente a la Comunidad.

Y ello genera varias consecuencias:

1º.- La privación de voto en las Juntas.

Es la consecuencia más inmediata. Si no se está al corriente de pago, ese piso o local, puede asistir a las Juntas y participar en ellas, pero no puede votar.

Artº 553-24. DERECHO DE VOTO

1. Tienen derecho a votar en la junta los propietarios que no tengan deudas pendientes con la comunidad cuando la junta se reúne. Los propietarios que tengan deudas pendientes con la comunidad tienen derecho a votar si acreditan que han consignado judicial o notarialmente su importe o que las han impugnado judicialmente.

Así pues, el cuórum debe tener presente que el propietario moroso no se toma en cuenta para el recuento. Se puede conseguir la unanimidad, y los 4/5, pero se tiene que restar el coeficiente y el voto del que no puede votar.

2º.- El pago de intereses moratorios.

La Comunidad puede acordar que el pago tardío de las cuotas y derramas, genere intereses que penalicen esta práctica.

Artº 553-4. CRÉDITOS Y DEUDAS.
4. Los créditos devengan intereses desde el momento en que debe efectuarse el pago correspondiente y este no se hace efectivo.

Para la percepción de intereses, se precisa un acuerdo comunitario en tal sentido y que ese acuerdo fije el interés a aplicar.

FORMULARIO DE ACUERDO DE FIJACIÓN DE INTERESES.

Se aprueba que las cuotas y derramas que se abonen fuera del momento en que se haya aprobado su devengo, generen el 3% de interés.

Con este acuerdo, se aplicará la fórmula de interés x capital x tiempo para fijar la penalización a aplicar.

3.- No podrán impugnar judicialmente ningún acuerdo.

Para impugnar un acuerdo, el propietario impugnante debe estar al corriente en el pago de las cuotas y derramas giradas. Y debe estar al corriente en el momento en que se adopta el acuerdo que va a impugnar posteriormente. Es decir, no podrá consignar la deuda en el momento de la demanda, por cuanto debe estar al corriente en el momento en que se adopta el acuerdo, no en el de la presentación de la demanda o momento de juicio oral.

4.- Puede reclamarse judicialmente la deuda.

La Comunidad puede instar demanda judicial de reclamación de la deuda. Para ello se necesita acuerdo comunitario en este sentido, con concreción de las cuotas y derramas pendientes.

Artº 553-47. RECLAMACIÓN EN CASO DE IMPAGO DE LOS GASTOS COMUNES
1. La comunidad puede reclamar todas las cantidades que le sean debidas por el impago de los gastos comunes, tanto si son ordinarios como extraordinarios, o del fondo de reserva, mediante el proceso monitorio especial aplicable a las comunidades de propietarios de inmuebles en régimen de propiedad horizontal establecido por la legislación procesal.
2. Para instar la reclamación basta con un certificado del impago de los gastos comunes, emitido por quien haga las funciones de secretario de la comunidad con el visto bueno del presidente. En este certificado debe constar la existencia de la deuda y su importe, la manifestación de que la deuda es

exigible y que se corresponde de forma exacta con las cuentas aprobadas por la junta de propietarios que constan en el libro de actas correspondiente, y el requerimiento de pago hecho al deudor.

FORMULARIO DE ACUERDO DE RECLAMACIÓN DE DEUDA.

Se aprueba reclamar judicialmente la deuda del piso 3º puerta 1ª, y que es la que sigue:

Cuota Ordinaria Marzo 120 €

Cuota Ordinaria Abril 120 €

Total deuda 240 €

Facultando al Presidente para que pueda iniciar los trámites judiciales, firmar poderes y cuantos documentos sean precisos.

3.7. EL FONDO DE RESERVA.

La fijación de las cuotas ordinarias debe tener presente que el presupuesto ordinario de la Comunidad debe incrementarse en un 5% para generar un fondo de reserva.

553-6. FONDO DE RESERVA

1. En el presupuesto de la comunidad debe figurar una cantidad no inferior al 5 % de los gastos comunes destinada a la constitución de un fondo de reserva.
2. La titularidad del fondo de reserva es de todos los propietarios y el fondo queda afectado a la comunidad sin que ningún propietario tenga derecho a reclamar su devolución en el momento de la enajenación del elemento privativo.
3. El fondo de reserva debe figurar en contabilidad separada y debe depositarse en una cuenta bancaria especial a nombre de la comunidad. Los administradores solo pueden disponer de él, con la autorización de la presidencia, para atender gastos de la comunidad imprevistos de carácter urgente o, con la autorización de la junta de propietarios, para hacer frente a las obras extraordinarias de conservación, reparación, rehabilitación, instalación de nuevos servicios comunes y seguridad, así como para las que sean exigibles de acuerdo con las normativas especiales.
4. Los remanentes del fondo de reserva de cada año se acumulan en el fondo del año siguiente.

Como dice la norma, el fondo de reserva es acumulativo, año tras año. Y lo que sobra de un año se añade a lo que se va a girar al siguiente año.

4. Elementos comunes o de uso común

Como hemos dicho, la escritura de división horizontal se otorga, por parte de la sociedad promotora, para la identificación y posterior venta de los elementos privativos: los pisos y locales.

Pero todo y que, en una Comunidad de propietarios, los elementos comunes son esenciales, es muy probable que estos no aparezcan identificados en dicha escritura de división horizontal.

4.1. LOS ELEMENTOS COMUNES.

Los elementos comunes, con toda probabilidad, no aparecerán en la escritura de división horizontal. En esta escritura, seguramente, no aparecerá si la finca dispone de un ascensor o dos, o la extensión del vestíbulo, o si tiene terraza comunitaria o no.

Pero esta ausencia no tiene trascendencia. Si no aparecen en la escritura se debe a que, al no poder ser objeto de venta por parte del promotor, el interés en aparecer en la escritura de división horizontal, desaparece.

Entonces, deberemos acudir a la finca para saber si dispone o no de ascensor, si tiene una escalera o dos, y la extensión del vestíbulo, etc.

Pero, su importancia es esencial en una Comunidad de Propietarios. Si no concurrieran elementos comunes, no existiría una "Comunidad de Propietarios" ya que esta figura se crea, precisamente para la regulación del uso, mantenimiento y reparación de los elementos comunes. Si sólo existen elementos privativos y no hay elementos comunes, entonces no puede hablarse de una "Comunidad de Propietarios".

Una buena enumeración de lo que pueden considerarse como elementos comunes lo contempla el artº 396 del Código Civil. Pero este listado no es una lista cerrada.

La norma catalana (artº 553-41) se refiere a las instalaciones y los servicios situados fuera de los elementos privativos que se destinan al uso comunitario o a facilitar el uso y goce de los elementos privativos.

Artº 553-41. ELEMENTOS COMUNES
Son elementos comunes el solar, los jardines, las piscinas, las estructuras, las fachadas, las cubiertas, los vestíbulos, las escaleras y los ascensores, las antenas y, en general, las instalaciones y los servicios de los elementos privativos que se destinan al uso comunitario o a facilitar el uso y disfrute de dichos elementos privativos.

Así pues, no sólo son elementos comunes las edificaciones o espacios, sino también las instalaciones y/o conducciones de los suministros que sirven a los distintos pisos y locales.

El uso y goce de los elementos comunes corresponde a todos los propietarios y para su regulación se crea la Comunidad de Propietarios, quien impondrá la forma de uso y de reparto de los costes del mantenimiento y reparación.

▷ Además, son elementos comunes todo lo que no aparezca identificado, en la escritura de división horizontal, como ELEMENTO PRIVATIVO.

Esta es una regla esencial y que solventa muchos problemas en las reclamaciones de espacios fuera de los pisos o locales. Todo lo que no aparece identificado dentro de la identificación del elemento privativo respectivo (y que hemos estudiado anteriormente) es ELEMENTO COMÚN.

Ello es muy importante en caso de que se planteen dudas si un espacio en el garaje, que está siendo ocupado por un propietario de forma privativa, es un elemento privativo o no. O también si toda la terraza de la cubierta es de uso privativo de los áticos o no.

✔ Pues bien, será elemento común todo espacio que no esté expresamente identificado en la escritura como elemento común. Por tanto, si ese propietario está ocupando un espacio en el garaje, sin que tenga expresamente reconocido este espacio en su escritura de propiedad, ni en la escritura de división horizontal, deberá establecerse que es un elemento común. Y lo mismo ocurre con las terrazas situadas en la cubierta del edificio, serán elemento común todo espacio que no esté expresamente atribuido a cada piso ático.

Este es otro motivo por el cual, no es un aspecto negativo que los elementos comunes no aparezcan en la escritura de división horizontal. Al fin y al cabo, no se precisa una enumeración de los elementos comunes de cada comunidad, por cuanto serán elementos comunes todos aquellos que no aparezcan en la escritura de división horizontal como privativos.

▷ Aun así, existe un listado de elementos comunes en el artº 396 del Código Civil Estatal, refiriéndose a las fachadas, cubiertas, paredes, vigas, canalizaciones de suministros, ascensores, etc.

Como hemos dicho, la norma catalana (artº 553-41) se refiere a las instalaciones y los servicios situados fuera de los elementos privativos que se destinan al uso comunitario o a facilitar el uso y goce de los elementos privativos.

El mantenimiento de los elementos comunes y los costes de ese mantenimiento, así como de sus reparaciones y modificaciones corren a cargo del conjunto de propietarios en base a las normas de distribución de gastos que tengan fijadas en sus Estatutos. A falta de regulación, la distribución de los costes se realiza por coeficiente de propiedad.

Tal y como nos hemos referido en otro capítulo, el coeficiente de propiedad es el que se utiliza, como criterio residual, para fijar el coeficiente de participación en los costes del mantenimiento de los elementos comunes, a falta de previsión en los Estatutos.

4.2. LA REPARACIÓN DE LOS ELEMENTOS COMUNES.

▷ La reparación de los elementos comunes corresponde a la Comunidad de Propietarios.

> **Artº 553-44. CONSERVACIÓN Y MANTENIMIENTO DE ELEMENTOS COMUNES**
> 1. La comunidad tiene que conservar los elementos comunes del inmueble, de manera que cumpla las condiciones estructurales, de habitabilidad, de accesibilidad, de estanquidad, de seguridad y de eficiencia energética o hídrica, según la normativa vigente y tiene que mantener en funcionamiento correcto los servicios y las instalaciones. Los propietarios tienen que asumir las obras de conservación y reparación necesarias.
> 2. Los propietarios que se benefician de la instalación de infraestructuras o equipos de mejora de la eficiencia energética o hídrica o de sistemas de energías renovables de utilidad particular situados en elementos comunes o en elementos comunes de uso exclusivo tienen que asumir la conservación y el mantenimiento en su totalidad.

En cuanto a la reparación de elementos comunes, debemos referirnos a que dicha actuación es un derecho de la Comunidad, pero también una obligación.

Veamos ambas situaciones.

✓ Es un DERECHO. Por cuanto la Comunidad de propietarios es competente y está facultada para la reparación de elementos comunes, en cualquier momento.

Solo precisa de un acuerdo comunitario adoptado por mayoría simple.

Es decir, no se precisa que el elemento común esté inservible para que la Comunidad decida su renovación, total o parcial.

Por ejemplo, la Comunidad puede optar por la renovación del ascensor, sin que deba esperar a que sea inservible o a la revisión periódica. Lo puede renovar por otro más cómodo, más eficiente o más moderno. Y todo ello por el cuórum de la mayoría simple.

Además, en su renovación, la Comunidad no está obligada a mantener los materiales ni la estética existente.

Es decir, si el ascensor es de madera, en su renovación, no está la Comunidad obligada a mantener dichos materiales. Y puede sustituir la madera por aluminio o PVC, incluso puede cambiar el color y la estética anterior. Todo ello por el cuórum de la mayoría simple.

✓ Es una OBLIGACIÓN. En efecto, existe una obligación, exigible por parte de cada propietario, de un correcto mantenimiento y de una completa reparación de los elementos comunes.

Tanto es así, que todo propietario podrá requerir a la Comunidad a la reparación de un elemento común que le causa un daño o perjuicio en su piso o local.

Puede el propietario del piso ático requerir a la Comunidad a la reparación de una filtración o gotera que proviene de su piso.

FORMULARIO DE REQUERIMIENTO DE REPARACION POR PARTE DE LA COMUNIDAD.

Estimados/as Sres/as:

Desde hace unos días, han aparecido en el techo de mi vivienda (piso ático) unas filtraciones de agua que provienen del terrado superior, que es elemento comunitario.

Por la presente, se les requiere para que procedan a la urgente reparación de dicho elemento, ya que provoca daños en mi piso.

Sin otro particular.

Si el propietario afectado realiza este requerimiento, la Comunidad está obligada a comprobar dicha situación y a proceder a su reparación.

Y ello por cuanto, si tras esta reclamación, la Comunidad no repara el elemento común, ese propietario, que debería practicar un segundo requerimiento en el mismo sentido, pero reiterando la urgencia, estaría facultado para:

- O bien, interponer demanda judicial para que sea un juez quien obligue a la Comunidad a la reparación y le condene a la indemnización de todo daño causado en su piso o local.
- O bien, proceder a la reparación de dicho elemento común y reclamar a la Comunidad el importe abonado, más el importe de los daños y perjuicios causados en su piso.

Además, la condena en costas sería del todo segura.

Es por ello que, la reparación de elementos comunes es una obligación exigible, y debe procederse a su acometido, tras cualquier reclamación que se produzca.

Es el Secretario/Administrador el que debe atender a estos requerimientos y proceder a revisar de inmediato si esa reparación debe llevarse a cabo.

▷ Los elementos comunes deben repararse por parte de la Comunidad, a excepción de los casos en que se demuestre que su estado se debe a un mal uso por parte de un propietario.

En efecto, esta obligación de reparación de elementos comunes cesa en cuanto aparece la intervención de un mal uso o mala conservación por parte de un propietario.

Es decir, si la filtración o gotera proviene de una instalación de una pérgola por parte del piso superior, o del uso de macetas pesadas que han acabado agrietando el suelo, que es techo del piso superior, entonces esa reparación es competencia y debe ir a cargo del propietario que ha afectado a ese elemento común.

Otro ejemplo ilustrativo lo tendríamos en los apliques de los rellanos de las escaleras. Estos son elementos comunes. De hecho, el suministro de la luz de la escalera va a cargo de la comunidad. Si la comunidad decide cambiarlos todos por otros más eficientes y con menor consumo, es un gasto común.

Pero si un propietario rompe un aplique, cuando realiza su mudanza, es ese propietario el que debe asumir el coste de la sustitución de ese aplique.

Pues bien, este ejemplo clarificador, puede hacerse extensivo a cualquier elemento común.

También son frecuentes las reparaciones de bajantes que se han obturado por haber tirado elementos sólidos por parte de un propietario y se descubre quien ha sido por quedar obturado su tramo. Pues bien, en este mismo caso, todo y ser el bajante elemento común, esa reparación debe ir a cargo de ese propietario.

4.3. EL USO DE ELEMENTOS COMUNES.

Los elementos comunes deben usarse, en primer lugar, de la forma prevista para su normal uso.

El ascensor debe usarse de forma que su uso no vaya en contra de las normas para su mantenimiento.

Artº 553-42. USO Y DISFRUTE DE LOS ELEMENTOS COMUNES
1. El uso y disfrute de los elementos comunes corresponde a todos los propietarios de elementos privativos y debe adaptarse al destino establecido por los estatutos o al que resulte normal y adecuado a su naturaleza, sin perjudicar el interés de la comunidad.

FORMULARIO DE NORMA DE USO DE ELEMENTOS COMUNES.

Se prohíbe el uso del ascensor por menores de 8 años no acompañados.

Se prohíbe el uso del ascensor para el transporte de materiales pesados.

Se prohíbe el uso del ascensor para traslados de muebles.

No cumplir con esta norma de uso, comportará que, en caso de necesidad de reparación de ese elemento común, correrá a cargo del propietario en quien haya recaído, y se haya podido probar, ese mal uso.

Así pues, la fijación de unas concretas normas de régimen interior, por parte de la Comunidad, es una recomendación con fundamento.

▷ Si un elemento privativo no está excluido del pago de ninguna de las partidas o de los gastos de la comunidad, y contribuye a ellos por su coeficiente, entonces le corresponde el correlativo derecho a la utilización de esos elementos comunes.

Por ejemplo, si un local no está excluido de los gastos de escalera y ascensor, puede utilizarlos y se le debe facilitar una llave de la puerta de entrada a la finca.

Es la contrapartida lógica, si una entidad satisface los gastos derivados del ascensor, del jardín, etc.; a esa entidad le atañe el correlativo derecho a su utilización.

Artº 553-45. CONTRIBUCIÓN AL PAGO DE LOS GASTOS COMUNES

1. Los propietarios deben sufragar los gastos comunes en proporción a su cuota de participación o de acuerdo con las especialidades fijadas por el título de constitución, los estatutos o los acuerdos de la junta.

2. La falta de uso y disfrute de elementos comunes concretos no exime de la obligación de sufragar los gastos debe hacerse de acuerdo con la cuota específica

3. El título de constitución puede establecer un incremento de la participación en los gastos comunes que corresponde a un elemento privativo concreto, en el caso de uso o disfrute especialmente intensivo de elementos o servicios comunes como consecuencia del ejercicio de actividades empresariales o profesionales en el piso o el local. Este incremento también puede acordarlo la junta de propietarios.

En ninguno de los dos casos, el incremento puede ser superior al doble de lo que le correspondería por la cuota.

4. El título de constitución puede establecer un incremento de la participación en los gastos comunes que corresponde a un elemento privativo concreto, en el caso de uso o disfrute especialmente intensivo de elementos o servicios comunes como consecuencia del ejercicio de actividades empresariales o profesionales en el piso o el local. Este incremento también puede acordarlo la junta de propietarios.

En ninguno de los dos casos, el incremento pudeser superior al doble de lo que le correspondería por la cuota.

Por lo tanto, cualquier propietario puede utilizar el ascensor, aunque su entidad esté situada en el entresuelo, en tanto en cuanto esa entidad contribuya al mantenimiento de ese servicio.

Lo mismo ocurriría para el caso de que el piso estuviera arrendado. En los casos de arrendamiento de elementos privativos se produce una sustitución del usuario del servicio comunitario. El obligado al pago de las cuotas comunitarias es el propietario, y este responde frente a la comunidad del impago de las mismas.

Ahora bien, al traspasar la posesión a los arrendatarios, son éstos los legitimados al uso de los elementos comunes, en virtud del título posesorio: arrendamiento, cesión o precario.

✔ Si conjuntamos todo lo expuesto, cabe preguntarse si los arrendatarios del local pueden utilizar los servicios comunes, y, tomando en consideración un caso extremo, si los arrendatarios de los locales pueden utilizar los servicios comunes de piscina y jardín, para el caso de que el local no esté expresamente excluido de esos gastos.

Pues bien, por la doctrina expuesta, cabe concluir que el pago de los servicios comunes conlleva el correlativo derecho a su utilización; y, en consecuencia, si los locales no están excluidos de esos servicios, los propietarios y, por traslación de la posesión, los arrendatarios, podrán utilizar esos elementos y servicios comunes.

4.4. DESAFECCIÓN Y VENTA O ARRENDAMIENTO.

▷ Arrendamiento de elementos comunes.

En los casos en que sea posible, debemos referirnos a la posibilidad de que, sin desafectar un elemento común, y por tanto, sin otorgarle un coeficiente de propiedad, se arriende un espacio común.

Estamos pensando, por ejemplo, en el arrendamiento de espacios comunes en el garaje del edificio para el estacionamiento privativo; en el arrendamiento de espacios comunes como trasteros, y en el arrendamiento, incluso, de la vivienda de la portería.

Pues bien, todo ello es perfectamente posible tras el acuerdo comunitario preciso. El Presidente no tiene la facultad para tal actuación y es preciso un Acuerdo comunitario en el cual se acuerde el arrendamiento de un espacio delimitado y por un precio y plazo.

El cuórum para este acuerdo es el del voto favorable de la mayoría de propietarios y cuotas si el plazo del arriendo es inferior a 15 años; y las cuatro quintas partes del total de los propietarios que, a su vez, representen las cuatro quintas partes de las cuotas de participación si el plazo es superior a 15 años.

Para un alquiler de una portería, como vivienda, lo más frecuente es que el plazo no supere los 15 años y, por tanto, baste la mayoría simple.

Los beneficios económicos de este arrendamiento van a parar a la Comunidad de Propietarios que los repartirá por coeficiente a todos los propietarios o los utilizará para cubrir, en parte, los gastos comunitarios que tenga previstos en cada ejercicio.

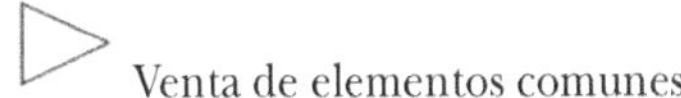

Venta de elementos comunes.

Para la venta de elementos comunes (espacios en garajes, portería, etc) se precisa, en primer lugar, la desafección del elemento común. Es decir, la Comunidad ha de convertir en elemento privativo este espacio, otorgándole un coeficiente de titularidad dentro del edificio.

Con la atribución de un coeficiente, este elemento para a ser privativo de pleno derecho.

Ahora bien, para otorgarle un coeficiente de propiedad, deberán reducirse el resto de coeficientes, de los diferentes pisos y locales ya que, las cuotas de participación de todos los elementos privativos suman 100.

Pues bien, a consecuencia del nacimiento de un elemento privativo, y a consecuencia del otorgamiento de un coeficiente, han de modificarse y reducirse el resto de coeficientes.

Y a consecuencia de esta reducción de coeficientes, esta operación precisa del consentimiento de los acreedores hipotecarios de cada entidad de la finca, ya que ven reducida su garantía frente al crédito hipotecario concedido.

Este acuerdo, en la normativa catalana, precisa del voto de cuatro quintas partes de propietarios y cuotas y no precisa el consentimiento unánime de todos los propietarios.

4.5. ELEMENTOS COMUNES DE USO PRIVATIVO O EXCLUSIVO.

No obstante, dentro de la definición de elementos comunes, hay que distinguir los que son comunes "de uso privativo".

Podemos identificar como elementos comunes de uso privativo: las terrazas de los pisos áticos, las terrazas de los entresuelos, siendo ambos elementos de uso privado pero elementos comunes al coincidir dicha terraza con el techo o cubierta de los pisos o entidades inferiores.

Artº 553-43. ELEMENTOS COMUNES DE USO EXCLUSIVO

1. En el título de constitución o por acuerdo unánime de la junta de propietarios, puede vincularse a uno o varios elementos privativos el uso exclusivo de patios, jardines, terrazas, cubiertas del inmueble u otros elementos comunes. Esta vinculación no les hace perder la naturaleza de elemento común.

2. Los propietarios de los elementos privativos que tienen el uso y disfrute exclusivo de los elementos comunes asumen todos los gastos de conservación y mantenimiento de estos y tienen la obligación de conservarlos adecuadamente y mantenerlos en buen estado.

En este caso, son elementos comunes, por ser partes estructurales del edificio, ya que forman parte de la estructura visual del edificio, pero su uso no es común, sino de los propietarios de los departamentos a los que se les ha asignado el uso (exclusivo).

Así, dentro de los elementos comunes, cabe distinguir:

- Los elementos comunes por naturaleza o esenciales, imprescindibles para asegurar el uso y disfrute de los diferentes pisos o locales, por ejemplo el ascensor, vestíbulo, escaleras, rellanos, etc.
- y por destino, o no esenciales, entre los que se encuentran las terrazas comunitarias, que pueden ser, por esta razón, "desafectados" de su destino

común y dedicados a un uso privado o exclusivo, en favor de uno o varios de los propietarios de pisos o locales, excluyendo en ese uso al resto.

FORMULARIO:

Los pisos áticos, entidades 21 y 22 de la finca, tienen el uso exclusivo de una terraza de unos 22 metros cuadrados , situada en la parte frontal de cada entidad.

Esta clasificación como elementos comunes de uso exclusivo, no implica que el bien deje de tener la consideración de elemento común, sino que tan sólo se produce una variación respecto del uso del mismo que pasa a ser un uso privativo de uno o varios propietarios.

Por tanto, cabe tener presente las dos posibilidades de utilización de los distintos elementos. Los elementos comunes se utilizan entre todos los distintos propietarios del inmueble y los comunes de uso privativo sólo se utilizan (de ordinario) por sus respectivos titulares.

5. Estatutos y normas de régimen interior

5.1. LA ESCRITURA DE DIVISIÓN HORIZONTAL Y LOS ESTATUTOS.

Volviendo a la ESCRITURA DE DIVISIÓN HORIZONTAL, ésta puede contener, en su parte final, las NORMAS DE COMUNIDAD, es decir, lo que la norma denomina LOS ESTATUTOS.

FORMULARIO. EJEMPLO DE ESTATUTOS

ECRITURA DE DIVISIÓN HORIZONTAL

NORMAS DE COMUNIDAD.

PRIMERA: Los locales quedan excluidos de los gastos de mantenimiento de la escalera y ascensor.

SEGUNDA: Los gastos de conserje, de existir, se pagarán a partes iguales entre todos los departamentos de la finca.

Estos Estatutos se fijan en la escritura de división horizontal, y por ende, son fijados por el promotor del edificio.

Los Estatutos aparecen como voluntarios en la ESCRITURA DE DIVISIÓN HORIZONTAL de constitución de la Comunidad y de propiedad horizontal. Tanto si se incluyen en el momento de constitución o se aprueban después, los Estatutos regulan los aspectos relativos al régimen jurídico real de la Comunidad de Propietarios. A falta de Estatutos, la Comunidad de Propietarios se somete a las normas de la Ley de Propiedad Horizontal y, en Catalunya, a la regulación del Libro V del CC CAT.

Artº 553-11. ESTATUTOS

1. Los estatutos regulan los aspectos referentes al régimen jurídico real de la comunidad y pueden contener reglas sobre las siguientes cuestiones:

a) El destino, uso y aprovechamiento de los elementos privativos y de los elementos comunes.

b) Las limitaciones de uso y demás cargas de los elementos privativos.

c) El ejercicio de los derechos y el cumplimiento de las obligaciones.

d) La aplicación de gastos e ingresos y la distribución de cargas y beneficios.

e) Los órganos de gobierno complementarios de los establecidos por el presente código y sus competencias.

f)) La forma de gestión y administración.

Como vemos en el precepto, los Estatutos pueden fijar:

- El destino de los pisos o locales. Es decir, si existen limitaciones, o no, en las actividades a desarrollar en los pisos o locales. Es decir, pueden establecer limitaciones a que en los locales se ejerzan actividades de ocio nocturno, etc.
- Si hay exclusiones de gastos a ciertas entidades (locales por ejemplo).
- Si los gastos se reparten por coeficiente o de forma distinta.
- Los órganos de gobierno, y sus cargos y duración.

Puede ocurrir que no consten Estatutos en la escritura de división del piso en propiedad horizontal. En este caso, se aplica la norma catalana en todas sus previsiones.

✔ De no existir Estatutos, como primera consecuencia, es que todos los gastos deben repartirse entre todos los departamentos, por el coeficiente de propiedad, ya que no existe norma que excluya a los locales de gastos comunes, o norma que reparta los gastos de forma distinta. El coeficiente de propiedad debe ser utilizado, a falta de estatutos, como forma global y única de reparto de gastos comunitarios.

El CC CAT (artº 553.45.1) prevé expresamente que los propietarios deben sufragar los gastos comunes en proporción a su cuota de participación, y es claro que la determinación de las cuotas de contribución se hace en función de cada entidad privativa con independencia de la titularidad unipersonal o pluripersonal de la misma, es decir tanto del número de propietarios como del número de ocupantes.

Artº 553-45. CONTRIBUCIÓN AL PAGO DE LOS GASTOS COMUNES
1. Los propietarios deben sufragar los gastos comunes en proporción a su cuota de participación o de acuerdo con las especialidades fijadas por el título de constitución, los estatutos o los acuerdos de la junta.

Si existen Estatutos, la Comunidad de Propietarios no puede adoptar acuerdo alguno que sea contrario a éstos, por cuanto prevalece la jerarquía normativa de los primeros.

Asimismo, los Estatutos no pueden contravenir ni la escritura de división horizontal ni la regulación legal de la propiedad horizontal, ya que estas normas están sujetas, también, al principio de jerarquía normativa, como se ha dicho.

5.2. EL REPARTO DE GASTOS COMUNITARIOS.

La forma de imputación de los gastos debe constar en los estatutos. La escritura hace referencia al coeficiente. Éste, si no se dice lo contrario, es el que determina el porcentaje de aplicación de los gastos comunitarios.

> **553-45. CONTRIBUCIÓN AL PAGO DE LOS GASTOS COMUNES**
> 1. Los propietarios deben sufragar los gastos comunes en proporción a su cuota de participación o de acuerdo con las especialidades fijadas por el título de constitución, los estatutos o los acuerdos de la junta.
> 2. La falta de uso y disfrute de elementos comunes concretos no exime de la obligación de sufragar los gastos debe hacerse de acuerdo con la cuota específica.

Pero los Estatutos pueden fijar otra forma de gestión y administración económica.

✓ Si no se establece lo contrario, cada entidad contribuye a los gastos comunitarios en base a su coeficiente de propiedad. Así, el presupuesto anual de gastos se reparte a cada entidad privativa en base a su coeficiente. Ahora bien, los Estatutos pueden establecer que determinados gastos (los honorarios del Administrador, o incluso el salario del portero, por ejemplo) se abonen a partes iguales entre los distintos departamentos, que algunos departamentos (locales, por ejemplo) no contribuyan a determinados gastos (escalera, por ejemplo).

Mucho se ha discutido en relación a si los locales deben contribuir a los gastos de escalera y ascensor; pues bien, toda respuesta remite a lo previsto en los Estatutos. A falta de exclusión expresa en los Estatutos, los locales deben contribuir a los gastos de escalera y ascensor.

La norma catalana, al igual que lo hace la estatal, no reparte los gastos en relación a un hipotético uso de los elementos comunes (escalera o ascensor) ni a un criterio de si es justo o no. El criterio de reparto es el del coeficiente de propiedad, corregido, eso sí, por las previsiones de los estatutos incluidos en la escritura de división horizontal.

▷ Estas cláusulas limitativas en el reparto de gastos comunitarios deben interpretarse RESTRICTIVAMENTE. Es decir, sólo deben quedar excluidos, esas entidades, de los gastos expresamente descritos en la norma que fija un sistema de reparto de gastos de forma especial.

Volviendo al ejemplo anterior

FORMULARIO. DE ESCRITURA DE DIVISIÓN HORIZONTAL . NORMAS DE COMUNIDAD.

PRIMERA: Los locales quedan excluidos de los gastos de mantenimiento de la escalera y ascensor.

Pues bien, esta cláusula debe interpretarse RESTRICTIVAMENTE.

Entonces concluiremos que sólo incluye los gastos *de mantenimiento,* pero no los *de reparación, ni los de renovación o los de adecuación a normas que vayan obligando a su modernización.*

Es decir, hay que estar a lo expresamente referido en los estatutos y no a interpretaciones extensivas.

En este redactado no se excluyen a los locales de TODO GASTO derivado del ascensor, sino sólo los de *MANTENIMIENTO.*

Para que la cláusula incluyera todo gasto debería redactarse así:

FORMULARIO. DE ESCRITURA DE DIVISIÓN HORIZONTAL

NORMAS DE COMUNIDAD.

PRIMERA: Los locales quedan excluidos de los gastos de mantenimiento, reparación, y renovación, tanto ordinarios como extraordinarios, y de todo tipo, derivados de la escalera y ascensor.

Pero también puede ocurrir que la Comunidad siga un sistema distinto, para algún tipo de gasto, por un acuerdo comunitario que no se ha impugnado.

Por ejemplo, que se repartan los GASTOS DE ADMINITRACION A PARTES IGUALES, por acuerdo comunitario no impugnado.

Es frecuente que haya comunidades que, en cada anualidad, hayan aprobado su liquidación de gastos, con un gasto repartido de forma distinta a lo que fijan los estatutos.

Esta situación, no puede calificarse ni de errónea ni nula. Si la Comunidad de propietarios, cada año, ha aprobado su liquidación de gastos, a pesar de que algún gasto se haya repartido de forma distinta a lo fijado en los estatutos, dicha aprobación es válida y eficaz.

Si no se impugna por ningún propietario, es perfectamente exigible y las deudas pueden ser reclamadas judicialmente, en base a un sistema de reparto donde un gasto se reparte a partes iguales a pesar de no contar con el soporte de los estatutos.

Los propietarios que han ido aprobando estas liquidaciones anuales, y no las han impugnado, han asumido este sistema de reparto, por la doctrina de los actos propios. En base a ello, si son morosos, y se les reclama la deuda, no podrán alegar entonces que el reparto es distinto a lo fijado en los estatutos, por cuanto el Tribunal les aplicará la doctrina de actos propios y les desestimará esa alegación.

▷ Distinto ocurre con un nuevo adquirente de un piso o local. Si se produce la entrada en la Comunidad de un nuevo propietario y éste comprueba que un gasto se reparte de forma distinta a lo fijado en los Estatutos, éste podrá impugnar judicialmente la liquidación de gastos, si vota en contra de dicha liquidación, en base a que se reparte a partes iguales un gasto que, por Estatutos, debe repartirse por coeficiente.

Este nuevo adquirente no está vinculado por actos propios, ya que ha entrado a una Comunidad frente a la que está solicitando el reparto de gastos de forma que se respeten los estatutos de la comunidad.

Por tanto, la comunidad, ante esta reclamación por parte de un nuevo adquirente en la comunidad debe:

- O bien repartir ese gasto por coeficiente, tal y como fijan los estatutos.
- Modificar los estatutos, mediante el cuórum de 4/5 partes de propietarios y cuotas, para que ese gasto se reparte a partes iguales, con el soporte de los estatutos de la comunidad.

5.3. LAS FACULTADES DE DIVISIÓN O AGRUPACION DE PISOS Y LOCALES SIN EL CONSENTIMIENTO DE LA COMUNIDAD.

Otra de las previsiones que pueden fijar los estatutos es la de que las entidades privativas se pueden agrupar entre sí, si se adquieren por un mismo propietario y están en el mismo rellano, o se pueden segregar en dos, si el piso o local lo permite por su configuración física.

FORMULARIO DE ESCRITURA DE DIVISIÓN HORIZONTAL . NORMAS DE COMUNIDAD.

TERCERA.- Todas las fincas resultantes de esta división horizontal, podrán, sin consentimiento de la Junta de Propietarios, ser divididas, segregadas, agrupadas, con otras del mismo inmueble, vertical u horizontalmente, modificando las cuotas de participación de los departamentos afectados por la suma o distribución de sus cuotas, sin afectación del resto de cuotas, manteniendo en todo caso, la seguridad de los elementos comunes de la finca.

Con este redactado, queda clara la posibilidad de que un propietario que adquiera dos entidades en la finca, las puede agrupar, vertical y horizontalmente, y posteriormente, las puede volver a segregar.

Todas estas operaciones comportarán una nueva cuota, (la suma o división de las que se unen o separan) pero sin que se modifique el resto.

Por ejemplo, un piso con un coeficiente del 4,45% se agrupa a otro de 4,55 %. El nuevo piso tendría una cuota resultante de 9%.

Si en el futuro las quiere volver a dividir, la suma de ambas nuevas entidades deberá volver a dar como resultado el 9%.

5.4. LA PROHIBICIÓN DE ACTIVIDADES.

Los Estatutos pueden prohibir el uso o destino de los elementos privativos para actividades que se considere que no se desean en la finca.

Así, el derecho de propiedad de elementos privativos puede quedar limitado por los Estatutos de la comunidad. Ello es perfectamente válido y eficaz.

Artº 553-11. ESTATUTOS

2. Son válidas las siguientes cláusulas estatutarias, entre otras:

a) Las que permiten las operaciones de agrupación, agregación, segregación y división de elementos privativos y las de desvinculación de anexos con creación de nuevas entidades sin consentimiento de la junta de propietarios. En este caso, las cuotas de participación de las fincas resultantes se fijan por la suma o la distribución de las cuotas de los elementos privativos afectados.

b) Las que exoneran a determinados propietarios de elementos privativos de la obligación de satisfacer los gastos de conservación de elementos comunes concretos, que pueden incluir las del portal, la escalera, los

ascensores, los jardines, las zonas de recreo y demás espacios semejantes.
c) Las que establecen la utilización exclusiva y, si procede, el cierre de una parte del solar, o de las cubiertas o de cualquier otro elemento común o parte determinada de este en favor de algún elemento privativo.
d) Las que permiten el uso o el disfrute de elementos comunes mediante la colocación de carteles de publicidad.
e) Las que limitan las actividades que pueden realizarse en los elementos privativos.
f)) Las que prevén la resolución de los conflictos mediante el arbitraje o la mediación para cualquier cuestión del régimen de la propiedad horizontal.

Así, los Estatutos, pueden prohibir actividades de ocio nocturno en los locales, pero también actividades profesionales y comerciales en pisos.

FORMULARIO. ESCRITURA DE DIVISIÓN HORIZONTAL. NORMAS DE COMUNIDAD.

CUARTA .- Los propietarios de los locales comerciales (departamentos número uno y dos) podrán establecer todo tipo de negocios, siempre que dispongan de la correspondiente licencia municipal, a excepción de negocios de ocio nocturno y asimilados.

QUINTA: Los propietarios de las viviendas (departamentos tres a veinticuatro) deberán destinar sus entidades a actividades residenciales, quedando prohibidas actividades profesionales ni comerciales en las mismas.

Con este redactado, lo que se está materializando es la existencia de actividades prohibidas en la finca.

En caso de incumplimiento, cabe el ejercicio, nuevamente, de la acción de cesación ya referida anteriormente.

La misma conclusión cabe adoptarse si la Comunidad de Propietarios aprueba por el cuórum de 4/5 partes de propietarios y votos, la prohibición de destino de las diferentes entidades de la finca como piso turístico; prohibición que podría adoptar la Comunidad dentro de sus facultades de autorregulación a través de los estatutos.

Se ha convertido en frecuente, que las Comunidades de Propietarios en Catalunya, aprueben, por el cuórum de 4/5 partes, una regulación prohibiendo el uso turístico tanto en pisos como en locales.

FORMULARIO. ESCRITURA DE DIVISIÓN HORIZONTAL. NORMAS DE COMUNIDAD.

SEXTA .- Los propietarios de las entidades privativas, pisos y locales, no podrán destinarlos a actividades de uso o alquiler turístico ni asimilados.

5.5. OTRAS PREVISIONES ESTATUTARIAS.

Los Estatutos pueden prever multitud de situaciones. Lo que ocurre es que, al ser inicialmente redactados por los promotores del edificio, pueden contemplar privilegios para los locales, sólo para facilitar la venta de éstos.

Por suerte, la Comunidad podrá limitar estas facultades, modificando los mismos, ya que no se precisa la unanimidad, sino el cuórum de los 4/5.

Ejemplos de cláusulas beneficiosas para los locales podrían ser:

FORMULARIO.

ECRITURA DE DIVISIÓN HORIZONTAL

NORMAS DE COMUNIDAD.

SEPTIMA.–Los locales comerciales (departamentos número uno y dos) podrán colocar rótulos, incluso luminosos u opacos, que no sobrepasen la altura de la planta baja, sin otra limitación que la que fijen las Ordenanzas Municipales.

Asimismo, podrán realizar todo tipo y clase de obras, y en todo tiempo, en el interior de dichos locales, con las correspondientes Licencias Municipales y modificar la fachada en la parte del local, efectuando cerramientos, colocando elementos como recubrimiento de pilares, caja nocturna, rótulos luminosos o no, horizontales en la parte correspondiente a los locales de planta baja, y todo ello siempre que no contravengan las Ordenanzas Municipales.

Podrán ocupar , sin consentimiento de la comunidad de propietarios ni contraprestación de clase alguna, aquellos elementos comunes del edificio que no sean de uso privativo, para la instalación de instalaciones eléctricas, refrigeración, calefacción, aire acondicionado, y ventilación (incluso chimeneas o tubos para la extracción de humos y ventilación) que desde el local lleguen a los elementos de cierre de la finca por arriba, con la única limitación de que su instalación deberá ser realizada con arreglo a las Ordenanzas, y en lo que res pecta a las paredes donde tienen que apoyarse, lo será de forma que no afecten a ventanas ni a las fachadas, y con la autorización y bajo la supervisión de los Arquitectos Directores de la obra y los de la Entidad Promotora, en su caso.

En cambio, pueden ser restrictivos con las alteraciones estéticas en el edificio.

FORMULARIO DE ESCRITURA DE DIVISIÓN HORIZONTAL. NORMAS DE COMUNIDAD.

OCTAVA: Queda totalmente prohibida la colocación de tendederos a los propietarios de las viviendas en las fachadas del edificio.

NOVENA: Queda totalmente prohibida la colocación de antenas parabólicas a los propietarios de los departamentos que componen el edificio, en las fachadas del mismo.

5.6. LA MODIFICACIÓN DE LOS ESTATUTOS.

Como hemos ido repitiendo, los Estatutos son fijados, inicialmente, por el promotor del edificio, en el momento de otorgar ante Notario, la escritura de división horizontal del inmueble.

Pero, por fortuna, el CC CAT no exige la unanimidad para la modificación de estos Estatutos, como sí exige la LPH Estatal.

Por tanto, si se alcanza el cuórum de los 4/5, pueden modificarse aquellas normas que se consideren que no son adecuadas para la Comunidad, o bien pueden aprobarse otras que no estaban previstas.

Artº 553-26. ADOPCIÓN DE ACUERDOS POR UNANIMIDAD Y POR MAYORÍAS CUALIFICADAS

2. Es necesario el voto favorable de las cuatro quintas partes de los propietarios con derecho al voto, que tienen que representar al mismo tiempo las cuatro quintas partes de las cuotas de participación, para:

a) Modificar el título de constitución y los estatutos, salvo que exista una disposición legal en sentido contrario.

5.7. EL REGLAMENTO DE REGIMEN INTERIOR.

Finalmente, como tercera norma reguladora de la Comunidad aparece el Reglamento de régimen interior. Este reglamento, supeditado jerárquicamente a los Estatutos viene a regular las normas de convivencia, buen uso de los elementos comunes y relaciones de vecindad.

Artº 553-12. REGLAMENTO DE RÉGIMEN INTERIOR

1. El reglamento de régimen interior, que no puede oponerse a los estatutos, contiene las reglas internas referentes a las relaciones de convivencia y buena vecindad entre los propietarios y a la utilización de los elementos de uso común y de las instalaciones.

2. El reglamento de régimen interior obliga siempre a los propietarios y usuarios de los elementos privativos.

Según establece la jurisprudencia; las primeras reglas que deben respetar las normas de régimen interno son:

1.- No pueden ser contrarias a la Ley.

2.- No pueden contener menciones contrarias a los estatutos.

3.- Su objetivo es regular los detalles de la convivencia y la adecuada utilización de los servicios y cosas comunes. Pero nada más.

4.- Obligan a todos los comuneros, pero también a cualquiera que ocupe el inmueble, con lo que se extienden a los arrendatarios, sea cual sea el régimen de posesión: arrendamiento de larga duración, de temporada o alquiler vacacional.

5.- Para adoptar acuerdos que incluyan normas de régimen interno solo se exigirá mayoría simple, con lo que se votan entre presentes el día de la junta.

6.- No deben inscribirse en el registro de la propiedad para su eficacia ante terceros, por lo que cualquier adquirente de inmueble debe reclamar al vendedor estas normas para su conocimiento.

FORMULARIO DE NORMAS DEL REGLAMENTO DE REGIMEN INTERIOR DE LA COMUNIDAD DE PROPIETARIOS DE C/...........num........

1.- Queda prohibido el uso de la piscina entre las 23 horas y las 7 horas.

2.- Queda prohibido el uso del ascensor por parte de menores de 12 años si no van acompañados de un adulto.

3.- La colocación de macetas en las barandillas de los balcones debe materializarse de tal forma que no sobresalgan de la misma.

4.- Los traslados y mudanzas deben llevarse a cabo por los montacargas, quedando prohibido el uso del ascensor principal para el traslado de muebles y enseres.

Esta norma se refiere al funcionamiento interno de la Comunidad en cuanto a servicios y elementos generales, para regular la convivencia y la adecuada utilización de ellos, sin que proceda su inscripción, estando sometido para su modificación a la forma prevista para tomar acuerdos sobre la administración, mientras que el Estatuto incide directamente sobre derechos y obligaciones de la Ley.

Por ello, cuando la comunidad pretende evitar determinados usos de los locales o viviendas, la correspondiente prohibición deberá ser incluida en los Estatutos, como se ha estudiado anteriormente.

Frente a la importancia del Estatuto, que cabe definir como el documento que incide directamente sobre los derechos y obligaciones de los comuneros establecidos en la ley, el reglamento presenta un carácter y finalidad más pragmático y de detalle, referido al funcionamiento interno de los servicios y elementos comunes generales, así como a las normas de convivencia comunitaria.

Por ejemplo, los contenidos más habituales de los reglamentos internos, de acuerdo con los diversos supuestos que pueden darse en cada comunidad, son los de regulación de asuntos tales como los horarios de las piscinas o zonas deportivas, el uso de ascensores y montacargas, aparcamiento en garajes, horarios de recogida de basuras, etc., y es frecuente, en casos de centros comerciales, que se regulen temas referentes a los servicios de seguridad, horarios de apertura, actividades de dinamización, e incluso reglas para la decoración y publicidad, aunque siempre sin restricciones innecesarias.

Ahora bien, la prohibición o regulación del uso de los elementos privativos sólo se permiten en los estatutos de la comunidad.

Las distintas mayorías exigidas para la adopción o modificación de cada uno de los tipos de normas, evidencia la relación jerárquica y de subordinación existente entre las mismas.

Por ello, todo REGLAMENTO DE RÉGIMEN INTERIOR que invada competencias o materias propias de regulación por normas estatutarias viene afectado de nulidad de pleno derecho.

▷ Las normas del REGLAMENTO DE REGIMEN INTERIOR no son inscribibles en el Registro de la Propiedad.

Por este motivo, a los futuros compradores se les debe notificar las normas de régimen interior para que no se excusen en que no las conocen o no se las han notificado. Por ello es recomendable ir recordando estas normas en sucesivas juntas de propietarios.

▷ Interesante discusión es la relativa sobre si el Reglamento de Régimen interior puede incluir sanciones ante los incumplimientos de las normas por parte de los ocupantes de las entidades de la finca.

Pues bien, la respuesta ha de ser negativa. El derecho sancionador está sujeto a un procedimiento, a unas garantías, y a unos derechos de defensa, que difícilmente puede cumplir una comunidad de propietarios.

El presidente no puede convertirse en instructor de un expediente sancionador y, al mismo tiempo en el fije la sanción a aplicar.

Así pues, la vía para castigar incumplimientos del Reglamento de Régimen interior, volvería a ser la acción de cesación de actividades molestas.

6. Organos de gobierno, juntas y actas

6.1. PRESIDENTE, VICE-PRESIDENTE Y SECRETARIO.

Las Comunidades de Propietarios se gobiernan por unos órganos designados por la propia Comunidad.

Ahora ya no es el promotor del edificio (en cuanto ya no tenga en propiedad elementos privativos) el que interviene en esta designación, que se realiza, anualmente, por los actuales propietarios de los elementos privativos.

Según el nuevo redactado del apartado 15, órganos de gobierno obligatorios son el Presidente, y el Secretario (la Ley del 2015 omite el término "administrador").

Artº 553-15. ORGANIZACIÓN DE LA COMUNIDAD

1. Los órganos de la comunidad son la presidencia, la secretaría y la junta de propietarios. Los dos primeros son unipersonales. El cargo de la presidencia debe ser ejercido por un propietario. La secretaría puede ser ejercida por un propietario o por la persona externa a la comunidad que asuma las funciones de administración.

2. La comunidad puede encargar la administración a un profesional externo que cumpla las condiciones profesionales legalmente exigibles. En este caso, las funciones de administración incluyen también las de secretaría.

La Ley catalana ha optado por un modelo distinto de la LPH al no prever que puedan concurrir en una misma persona los cargos de Presidente y Secretario. Así resulta del artº 553.15 CCC.

Si el Secretario es un profesional, entonces puede ser denominado SECRETARIO-ADMINISTRADOR.

Órganos de gobierno voluntarios son los de vicepresidente, administrador y vocales. La Ley 5/2015 admite expresamente la posibilidad de nombrar a un vicepresidente en su apartado 16 c), posibilidad que no estaba prevista de forma expresa en la Ley 5/2006.

El Tribunal Supremo obliga a que la persona del presidente recaiga en un propietario del inmueble, siendo nulo de pleno derecho un acuerdo comunitario en sentido contrario.

▷ El presidente es el que representa en juicio a la Comunidad y frente al resto de organismos públicos.

Sobre este tenor, la normativa es clara en el sentido que el cargo de presidente debe recaer en un propietario (nada se dice de los vocales, por lo que podrían no ser propietarios y ser habitantes o parientes, por ejemplo). No obstante, es muy frecuente que en las Juntas de Propietarios asistan los cónyuges o hijos/as de propietarios, que no son titulares registrales pero que asisten habitualmente a las Juntas y participan de la vida comunitaria. Pues bien, el nombramiento, según el Tribunal Supremo, debería recaer en el propietario registral de la entidad.

▷ Interesa hacer especial referencia a la figura del vicepresidente. Son muchos los autores que consideramos esta figura de especial importancia, ya que realiza las funciones del Presidente, en ausencia de éste. La normativa establece que el nombramiento de la figura del vicepresidente no es obligatorio pero que es recomendable.

Por tanto, en el momento del nombramiento de la Junta de la Comunidad, es aconsejable elegir un vicepresidente, principalmente, por dos motivos:

- En ausencia o enfermedad del Presidente, le sustituye. Así pues, si el Presidente se ausenta por estar de vacaciones o estar de baja médica, sus tareas las puede asumir, legalmente, el Vice-Presidente.
- Si hay que tomar una decisión, o validar un pago urgente, si la decisión se toma entre el Presidente y el Vice-Presidente, esta decisión es más colegiada y no tan personal de un único propietario.

Artº 553-16. PRESIDENCIA

1. Corresponden a la presidencia las siguientes funciones:
a) Convocar y presidir las reuniones de la junta de propietarios.
b) Representar a la comunidad judicial y extrajudicialmente.
c) Elevar a públicos los acuerdos, si procede.
d) Velar por el buen funcionamiento de la comunidad y por el cumplimiento de los deberes del secretario y del administrador.
e) Cualesquiera otras funciones que establezca la ley.
2. La junta de propietarios puede designar un vicepresidente, que ejerce las funciones de la presidencia en caso de muerte, imposibilidad, ausencia o incapacidad de su titular. También puede ejercer las funciones que la presidencia le haya delegado expresamente.

FORMULARIO DE ACUERDO DE NOMBRAMIENTO DE JUNTA DIRECTIVA.

Se procede al nombramiento de la siguiente JUNTA DIRECTIVA:

PRESIDENTA: Dª............. (piso .....)

Vice-Presidente: D......... (piso ....)

Secretaria-Administradora: Dª .... de FINCAS ....

Quienes aceptan los cargos y toman inmediata posesión de los mismos.

Los cargos son elegidos por un año, pueden renovarse indefinidamente, y subsisten hasta la fecha de la siguiente Junta.

Es decir, no son elegidos por un año natural, sino hasta la siguiente junta ordinaria.

EJEMPLO: La Junta del nombramiento puede haberse celebrado el 3 de febrero de 2025, pues bien, los cargos no "caducan" el 3 de febrero de 2026, sino que se renuevan hasta la siguiente Junta ordinaria, que puede ser en Enero del 2026 (con lo que el cargo no llegaría a un año) o en Junio del 2026, con lo que el cargo superaría con creces un año).

Es importante destacar la previsión del punto 8 del apartado 15 del artº 553, que se refiere a que en la designación de cargos no se ha de producir ninguna forma de discriminación por razón de sexo, origen o creencias, ni por cualquier otro motivo.

Ahora bien, puede y debe saltarse al propietario moroso, si no puede votar, es un motivo para que no sea presidente. Y también puede saltarse al propietario que mantenga un litigio con la comunidad, judicial o extrajudicialmente. Estos supuestos no se consideran como discriminación.

Los cargos son gratuitos, a excepción del de Administrador. No obstante, los órganos de gobierno tienen derecho a la restitución de los gastos que el cargo les haya ocasionado.

Ahora bien, ni se les puede remunerar ni se les puede exonerar del pago de cuotas y/o derramas. Los cargos deben contribuir a cuotas y derramas, como cualquier otro propietario.

Artº 553-15. ORGANIZACIÓN DE LA COMUNIDAD

6. Los cargos no son remunerados, salvo que recaigan en personas ajenas a la comunidad, en cuyo caso pueden serlo. En cualquier caso, se tiene el derecho a resarcirse de los gastos ocasionados por el ejercicio del cargo.

Ejemplo: No se considera remuneración, por ejemplo, un importe de 15 € al mes para "gastos de teléfono" o para "desplazamientos".

La responsabilidad del Presidente viene reconocida por la jurisprudencia de los tribunales, que ha llegado a obligar al Presidente a la restitución a la Comunidad de unos fondos indebidamente imputados a ésta y que eran en beneficio propio. Por tanto, en cualquier momento, la Comunidad puede solicitar al Presidente la justificación de unos gastos que ha imputado a la misma.

La designación de los cargos se realiza en la Junta correspondiente y, a falta de voluntarios, se realiza por turno rotativo. En ese caso, la aceptación del cargo es obligatoria a menos que la Junta acepte la excusa fundada del elegido.

Nada obsta a que los cargos sean reelegidos, tantas veces sea adoptado dicho acuerdo. Es decir, no hay límite de anualidades para el Presidente o resto de miembros de la Junta.

Especial referencia al Secretario-Administrador.

El Presidente puede ostentar el cargo de Secretario-Administrador. También por un propietario de la finca. Si el cargo de Secretario-Administrador es ostentado por una persona ajena a los propietarios de la finca, entonces debe ostentar la cualificación profesional suficiente y legalmente reconocida.

Artº 553-18. ADMINISTRACIÓN

1. El administrador gestiona los asuntos ordinarios de la comunidad y ejerce las siguientes funciones:

a) Tomar las medidas convenientes y hacer los actos necesarios para conservar los bienes y el funcionamiento correcto de los servicios de la comunidad.

b) Velar por que los propietarios cumplan las obligaciones y hacerles las advertencias pertinentes.

c) Preparar las cuentas anuales del ejercicio precedente y el presupuesto.

d) Ejecutar los acuerdos de la junta de propietarios y efectuar los cobros y pagos que correspondan.

e) Decidir la ejecución de las obras de conservación y reparación de carácter urgente, de todo lo

cual debe dar cuenta inmediatamente a la presidencia.

f) Pagar, con autorización de la presidencia, los gastos de carácter urgente que pueden correr a cargo del fondo de reserva.

g) Las demás funciones que expresamente le sean delegadas por la junta de propietarios o atribuidas por la ley.

2. El administrador es responsable de su actuación ante la junta de propietarios.

✔ Sobre la discusión de cuál es la titulación profesional competente para ejercer el cargo remunerado de Administrador de Fincas, el Tribunal Constitucional ha declarado que la actividad de Administrador de Fincas sin haber obtenido el ingreso en el Colegio Profesional correspondiente, se engloba dentro del delito de intrusismo profesional. El Tribunal Supremo ha declarado, asimismo, que es necesaria la colegiación para el ejercicio profesional de Administrador de Fincas, y que no puede ejercerse el cargo sin una cualificación profesional suficiente y legalmente reconocida, a excepción de que se trate de un propietario.

La Ley 12/2023, por el derecho a la vivienda, reitera estas exigencias en su Disposición Adicional Sexta, reiterando que deben tener la capacitación profesional requerida y deben cumplir las condiciones legales y reglamentarias que les sean exigibles. Además, les exige la formalización de un seguro de responsabilidad civil.

El Administrador remunerado elegido por el promotor tan sólo mantiene el encargo hasta la primera junta que se convoque. En esa Junta procederá la renovación o cambio de Administrador sin que el cesado pueda exigir contraprestación por un cese anticipado de su encargo.

Al Administrador se le reconoce expresamente en el apartado 18.e) decidir la ejecución de las obras de conservación y reparación de carácter urgente, de todo lo cual debe dar cuenta inmediata a la presidencia. Así pues, la Comunidad no podrá oponerse a una obra de estas características encargada por el Administrador.

Por ejemplo: Si se estropea la cerradura de entrada a la finca, el propio Administrador puede solicitar a un cerrajero de su confianza que la repare. Para ello no necesita solicitar varios presupuestos ni convocar Junta. Ahora bien, si el cerrajero recomienda cambiar toda la puerta de entrada, entonces ya se precisan varios presupuestos y su aprobación en Junta extraordinaria.

Tal y como dice el precepto, el Secretario extiende las Actas y certificados. El Administrador gestiona los ingresos y gastos de la comunidad, prepara las liquidaciones y presupuestos, ejecuta los acuerdos de la Junta, y decide la ejecución de obras urgentes dando cuenta al Presidente (apartado 18).

Como se ha dicho, ambos cargos pueden recaer en una misma persona.

El apartado 27.3 establece que el Presidente puede requerir a un Notario que levante acta de los acuerdos de la reunión, cuando lo considere oportuno o cuando se los solicite el 25% de propietarios o cuotas.

En este caso, se levantarían dos actas: la del Secretario-Administrador y la del Notario, haciendo constar en el Acta del Secretario que se transcribe en el libro de actas, la referencia a la presencia del notario.

Artº 553-27. ACTA

3. El presidente puede requerir a un notario que levante acta de los acuerdos de la reunión cuando lo considere pertinente y lo debe hacer, en todo caso, cuando haya una solicitud escrita presentada, al menos cinco días antes de la fecha de la reunión, por una cuarta parte de los propietarios o por menos si representan la cuarta parte de las cuotas. En este caso, debe hacerse en el libro de actas una referencia clara a la fecha de celebración de la reunión y al nombre y la residencia del notario que asistió a ella.

La Ley 5/2015 fija expresamente, en su apartado 17, que debe custodiar, durante 5 años como mínimo (y no diez, como antes) las convocatorias, las comunicaciones, los poderes, la documentación contable y los documentos relevantes. La custodia del libro de actas se extiende a los 30 años mientras subsista el régimen de propiedad horizontal o 5 si se ha extinguido (apartado 28).

Artº 553-17. SECRETARÍA

El secretario extiende las actas de las reuniones, realiza las notificaciones, expide los certificados y custodia, durante cinco años como mínimo, las convocatorias, las comunicaciones, los poderes, la documentación contable y los demás documentos relevantes de las reuniones y de la comunidad. La custodia y la teneduría de los libros de actas son reguladas por el artículo 553-28.

6.2. LA JUNTA GENERAL DE PROPIETARIOS. CONVOCATORIAS.

Las Juntas de Propietarios son los órganos supremos de las Comunidades de Propietarios.

Artº 553-19. JUNTA DE PROPIETARIOS
1. La junta de propietarios, integrada por todos los propietarios de elementos privativos, es el órgano supremo de la comunidad.

Las Juntas de propietarios deben ser convocadas por el Presidente de la Comunidad. Ello viene a concluir que el Administrador de Fincas no puede convocar una Junta de propietarios, su intervención se realiza por la delegación en este sentido por parte del Presidente de la Comunidad.

Artº 553-20. REUNIONES
1. La junta de propietarios debe reunirse, de forma ordinaria, una vez al año para aprobar las cuentas y el presupuesto y para elegir a las personas que deben ejercer los cargos.
2. La junta de propietarios debe reunirse cuando lo considere conveniente el presidente y cuando lo solicite, como mínimo, una cuarta parte de los propietarios o los que representen una cuarta parte de cuotas de participación.

En defecto del Presidente y por su inactividad u oposición, la convocatoria puede llevarse a cabo por una cuarta parte de propietarios o por una cuarta parte de las cuotas de participación. En este caso no hace falta la doble mayoría, sino que puede convocarse por propietarios o por cuotas.

Esta forma de convocatoria por la cuarta parte de los propietarios, se contempla como forma subsidiaria al hecho que el Presidente no convoque la reunión. Es una fórmula que proviene del pasado y que ya es conocida por las Comunidades de Propietarios

La Ley catalana no incluye al secretario entre los legitimados por el apartado 21 para la convocatoria en caso de inactividad del Presidente. Pero sí al vicepresidente, en ausencia del Presidente (enfermedad o ausencia prolongada).

El Presidente convoca las Juntas de Propietarios, que han de remitirse al domicilio que cada propietario designó para notificaciones (apartado 21 que mantiene básicamente su redactado) en el momento de adquisición del piso o local (apartado 37).

La novedad de la Ley 5/2015 es que incluye una posibilidad que ya se estaba cumpliendo: la de remisión por correo electrónico a los propietarios que previamente habían aceptado tal medio. La jurisprudencia ya había entendido que no podía obligarse a los propietarios a aceptar las comunicaciones por correo electrónico por cuanto podía haber propietarios que no dispusieran de este medio; ahora bien, nada impedía que un propietario solicitara y aceptara que sus comunicaciones se realizaran por medios electrónicos.

Ahora el nuevo redactado del punto 2 del apartado 21 establece que los envíos se pueden efectuar por correo postal o electrónico, o por otros medios de comunicación, siempre que se garantice la autenticidad de la comunicación y de su contenido.

El correo postal no garantiza la autenticidad de su contenido, pero la norma no exige la fehaciencia en las comunicaciones, por lo que el sistema de notificación por carta sigue vigente.

No se exige ni burofax, ni carta certificada con acuse de recibo.

Conclusión: El correo electrónico permite que el mismo día de la remisión de la convocatoria llegue a sus destinatarios. El correo postal no. Además, al no exigirse certificación de la remisión por correo postal, nunca se obtendrá la certeza de su recepción.

Al menos con el correo electrónico, puede solicitarse una prueba de su recepción.

Artº 553-21. CONVOCATORIAS

1. La presidencia convoca las reuniones de la junta de propietarios.
En caso de vacante, inactividad o negativa de la presidencia, puede convocar la reunión la vicepresidencia o, en caso de vacante, inactividad o negativa de esta, los propietarios que promueven la reunión de acuerdo con el artículo 553-20.2.
2. Las convocatorias, citaciones y notificaciones, salvo que los estatutos establezcan expresamente otra cosa, deben enviarse, con una antelación mínima de ocho días naturales, a la dirección comunicada por el propietario a la secretaría. El envío puede hacerse por correo postal o electrónico, o por otros medios de comunicación, siempre y cuando se garantice la autenticidad de la comunicación y de su contenido. Si el propietario no ha comunicado dirección alguna, deben enviarse al elemento privativo del que es titular. Además, el anuncio de la convocatoria debe publicarse con la misma antelación en el tablón de anuncios de la comunidad o en un lugar visible habilitado a tal efecto. Dicho anuncio produce el efecto de notificación efectiva cuando la personal no ha tenido éxito.
3. En el caso de juntas extraordinarias para tratar de asuntos urgentes, tan solo es preciso que los propietarios hayan podido tener conocimiento de las convocatorias, citaciones y notificaciones antes de la fecha en que deba celebrarse la reunión.

El TABLON DE ANUNCIOS, suple los posibles defectos en la remisión de las convocatorias y Actas. En consecuencia, debe publicarse la convocatoria en el Tablón de anuncios de la comunidad, ya que convalida cualquier error en la remisión personal de la convocatoria.

El plazo para las convocatorias ordinarias es de ocho días naturales. A nuestro entender, en este plazo de ocho días cuenta el de la convocatoria y el de la Junta. Por tanto, no deben mediar entre ambas fechas.

Esa antelación tan sólo se exige, como en la regulación estatal, para las reuniones ordinarias, las que deben celebrarse una vez al año, pero no para las extraordinarias que pueden convocarse con una antelación suficiente para que sea posible que llegue a conocimiento de todos los interesados, e incluso podría llegar a convocarse el día anterior.

Ahora bien, una Junta extraordinaria convocada el día anterior sólo tiene justificación por una extremada urgencia, pero no para tratar asuntos que llevan meses preparándose.

Por ejemplo, sería entendible una junta convocada para el día posterior, ante una urgencia en el ascensor que ha quedad inutilizado y que hay que decidir entre varias actuaciones y costes.

Pero no así, para aprobar la actuación en la fachada de la finca para la que se llevan meses recibiendo y solicitando presupuestos.

Recuérdese que la concurrencia de la totalidad de los propietarios puede dar lugar a una junta válidamente constituida y discutir cualquier asunto del orden del día. Ello es perfectamente posible en Comunidades de Propietarios de escaso número de entidades.

El plazo prudente para las juntas extraordinarias y el plazo legal para las ordinarias, tiene como principal motivación que, entre la convocatoria y la Junta, el propietario tiene derecho a examinar la documentación de los asuntos sobre los que va a versar la asamblea, previsión que mantiene el punto 5 del apartado 21. Este derecho tiene una doble aplicación práctica:

- Entre el plazo de la convocatoria y la junta, los propietarios pueden acudir al despacho del Administrador de Fincas a examinar las cuentas, facturas, órdenes de pago, presupuestos, albaranes, etc. Incluso a obtener copias de dichos documentos para su estudio en concreto.

- Fuera de este plazo, los propietarios no disponen de este derecho ni de esta posibilidad, que se reserva al Presidente y al vicepresidente, en su caso. Por tanto, las peticiones de copias de extractos bancarios, o de comprobantes de pagos, etc, que se formulen fuera de este plazo, por parte de un propietario, pueden ser denegados por el Administrador de la Comunidad.

▷ El orden del día ha sido un motivo de constante conflicto relativo a si éste debe contener todos los aspectos de los que pueden derivarse acuerdos.

Cabe decir al respecto que, como tiene señalado la jurisprudencia, el orden del día pretende cumplir con el deber de información de toda persona que asiste a una convocatoria. Se trata de cumplir con ese deber de que toda persona pueda conocer el motivo o motivos de la convocatoria y si le resulta trascendente su asistencia.

Pero ese deber de indicar los asuntos a tratar, hora y lugar de la Junta, en cumplimiento del derecho de información, sólo viene a referirse a la descripción de la materia con sus notas individualizadas de referencia a los asuntos a tratar sobre la cual habrá de versar la Junta, y, naturalmente, sin que ello exija, con rigor, la exposición previa de todos los datos o instrumentos de conocimientos precisos para poder participar o deliberar de forma decidida en dicha Junta.

Es decir, el orden del día debe contener los "asuntos" a tratar y no los "acuerdos a adoptar". Por ello, cabrá cualquier acuerdo que guarde relación con el "asunto", que es lo único que condiciona el contenido de la Junta de Propietarios.

Así lo confirma la jurisprudencia incluso del Tribunal Supremo al reiterar que no resulta exigible un grado de detalle exhaustivo en el orden del día, pudiendo tratarse en la Junta cualquier cuestión que resulte consecuencia directa de lo expresado en aquél.

▷ La convocatoria debe contener, obligatoriamente, y por lo motivos que indicaremos, el listado de propietarios con deudas pendientes con la Comunidad. Este es un requisito que, como establece la jurisprudencia no supone un enfrentamiento con los derechos de protección de datos de carácter personal y es básico en las normas de la propiedad horizontal, tanto catalana como estatal.

El motivo principal es el de que el moroso no puede votar en la junta. Puede participar en ella con debates y manifestaciones, pero no puede votar, si vota un moroso el recuento es nulo por haberse admitido su voto.

Ahora bien, al moroso hay que advertirle en la convocatoria. Es decir, hay que darle la información, no sólo de que tiene deudas pendientes, sino también de su importe y de su concepto.

Artº 553-21. CONVOCATORIAS

4. La convocatoria de la reunión de la junta de propietarios debe expresar de forma clara y detallada:

a) El orden del día. Si la reunión se convoca a petición de propietarios promotores, deben constar en él los puntos que proponen. El orden del día incluye, entre otros asuntos, los propuestos por escrito a la presidencia, antes de la convocatoria, por cualquiera de los propietarios.

b) El día, el lugar y la hora de la reunión.

c) La advertencia que, con relación a los acuerdos a que se refiere el artículo 553-26, los votos de los propietarios que no asisten a la reunión se computan en el sentido del acuerdo tomado por la mayoría, sin perjuicio de su derecho de oposición.

d) La lista de los propietarios con deudas pendientes con la comunidad por razón de las cuotas, los cuales, de conformidad con el artículo 553-24, tienen voz pero no tienen derecho de voto, de todo lo cual es preciso advertir.

5. La documentación relativa a los asuntos a tratar debe enviarse a los propietarios junto a la convocatoria, o bien debe indicarse el lugar donde se halla a su disposición.

Si las funciones de administración de la comunidad las realiza un profesional externo, este debe tener dicha documentación a disposición de los propietarios desde el momento en que se envía la convocatoria.

Entiende la jurisprudencia que la convocatoria ha de expresar de manera clara y detallada la lista de propietarios con deudas pendientes con la comunidad, con la advertencia de que tienen voz pero no voto. Su omisión justificará la nulidad de la Junta de propietarios y de sus acuerdos, cuando dicha omisión haya producido indefensión a algún propietario, es decir, no se le haya advertido que es moroso y se le priva de su derecho al voto. Por tanto, la publicidad del listado de morosos tiene como principal sentido el de dar este derecho de información de un elemento esencial: la privación del derecho a voto.

Por tanto, las normas reguladoras de la propiedad horizontal, son preferentes a los derechos al honor de cada persona. En definitiva, la protección al derecho al honor del moroso quedaría salvado absolutamente con su pago de las cuotas pendientes.

Sobre este tema se ha pronunciado la jurisprudencia proclamando que la colocación en el tablón de anuncios de la diligencia motivada practicada al comunero no constituye un atentado a su honor ni a su prestigio profesional.

Como establece la jurisprudencia, el derecho a la propia imagen tampoco es un derecho absoluto, y, por consiguiente, caben legítimas limitaciones a su fuerza expansiva,

Incluso el Tribunal Constitucional tiene dicho que "no puede deducirse del artº 18 CE que el derecho a la propia imagen, en cuanto límite de obrar ajeno, comprenda el derecho incondicionado y sin reservas a permanecer en el anonimato".

Por tanto, establece la jurisprudencia que si se da publicidad al listado de morosos, en la convocatoria y en el Acta de la Junta, esta publicación, que cumple con las exigencias de la regulación de la propiedad horizontal, no vulnera derechos constitucionales.

Para el Tribunal Supremo la publicidad que atenta contra la intimidad o el honor sólo es aquella que excede de los propios límites de la Comunidad, por lo que no se considera como tal la exposición de la convocatoria de la Junta, donde aparecía la lista de morosos, en la puerta de la finca o en el acceso a la piscina, teniendo en cuenta, además, que se había intentado previamente la notificación personal.

Por ejemplo, se consideraría que excede de los derechos de la publicación de listado de morosos, un listado que se publicara fuera del período entre la convocatoria y la Junta de propietarios o fuera del plazo en que debe publicarse un Acta.

También una publicación a modo de "panfletos" repartidos por la comunidad y en varios elementos comunes.

Deberá constar en la convocatoria de la reunión la advertencia relativa a que los no asistentes se entenderán que votan a favor de los acuerdos adoptados, a menos que manifiesten expresamente su oposición en el plazo de un mes.

En la convocatoria se adjuntarán las cuentas de la Comunidad de Propietarios, siendo suficiente que incluyan, en columna separada, los ingresos, los gastos y el saldo final del ejercicio. Las cuentas no precisan de complejidad alguna, y el criterio a seguir es de ingreso contabilizado y gasto pagado, sin incluir amortizaciones de obras ni otros criterios más propios de las sociedades mercantiles.

También se remitirán los documentos sobre los que haya que tomarse acuerdos, en especial, el presupuesto ordinario para el próximo ejercicio, y los presupuestos de derramas relevantes.

Por ello, lo recomendable es utiliza el correo electrónico, que posibilita la remisión de archivos adjuntos.

FORMULARIO DE CONVOCATORIA A JUNTA DE COMUNIDAD.

Barcelona, 30 de SEPTIEMBRE de 2025

Estimado/a Sr (a):

Por la presente y por orden de la Sra Presidenta, y de conformidad con lo dispuesto en el art. 553.21.1 del Libro V del Código Civil de Cataluña, se le convoca a la Junta General Ordinaria de la Comunidad de Propietarios, que tendrá lugar en el DESPACHO DEL ADMINISTRADOR, el MARTES 14 DE OCTUBRE a las 19:00 horas en única convocatoria, con lo siguiente:

ORDEN DEL DÍA

1º.- Aprobación liquidación ejercicio 2024 y presupuesto 2025.

2º.- Renovación Junta Directiva.

3º.- Cambio conserje por jubilación.

4º.-. Pintura vestíbulo. Derramas a girar en caso de aprobación.

3º.- ITE. Exposición estado de la Inspección Técnica.

6º.- Ruegos y preguntas

Rogándole no deje de asistir, o bien, mandar una representación, quedamos a su disposición.

Asimismo, conforme a lo dispuesto en el art. 21.4 y 5 del Código Civil de Cataluña, se hace constar:

1º.- Que los no asistentes se entenderá que votan a favor de los acuerdos adoptados, salvo que manifiesten expresamente su oposición en el plazo de un mes.

2º.- Que los propietarios que no estén al corriente de pago en el momento del inicio de la reunión, podrán participar en la misma pero NO TENDRÁN DERECHO A VOTO.

A fecha de esta convocatoria, tienen limitado este derecho a voto la siguiente propietaria

Dª........... Piso 2º puerta 1ª Derrama01/10/2024 535 €

3º.- Que la documentación relativa a los asuntos a tratar, se encuentra en el despacho del administrador hasta el día de la junta.

P.O. Sra. Presidenta

Por la presente confiero especial representación a Don .... para que delibere y vote en mi nombre en la Junta General Ordinaria de la Comunidad de Propietarios .... de Barcelona, a celebrar el día 14 d' OCTUBRE de 2025.

Barcelona .... de .... de 2025

Firmado..
Propietario piso....................................

6.3. JUNTAS DE PROPIETARIOS.

Una vez llega la fecha y hora de la junta, los propietarios que asisten lo son por presencia o por delegación.

Artº 553-22. ASISTENCIA

1. El derecho de asistencia a la junta corresponde a los propietarios, los cuales asisten personalmente o por representación legal, orgánica o voluntaria, que debe acreditarse por escrito. Los estatutos pueden establecer, o la junta de propietarios puede acordar, que pueda asistirse por videoconferencia o por otros medios telemáticos de comunicación sincrónica similares.
2. El derecho de asistencia incluye el derecho de voz y el derecho de voto en la junta de propietarios, sin perjuicio de lo establecido por el artículo 553-24.

El Administrador debe tomar nota de los asistentes y los representados, con su nombre y la entidad, que tendrá relevancia por el coeficiente de propiedad que deberá tenerse en cuenta en las votaciones.

Es importante que en las votaciones se tenga en cuenta a los asistentes y a sus cuotas de propiedad.

✓ Las delegaciones de votos pueden conferirse al Presidente, a otro propietario o a cualquier persona. No se exige que el representado sea otro propietario del inmueble por lo que podrá asistir como representante cualquier persona, incluso un profesional que represente en voz y voto al propietario.

Las delegaciones de voto en favor del Administrador de Fincas profesional no deberían admitirse, y deberían delegarse al Presidente. El Administrador de fincas no debería votar a favor o en contra de la elección de presupuestos, ni de aspectos que son propios de la vida particular de cada comunidad.

El Administrador administra esa Comunidad, que debe ser dirigida por sus propietarios.

✔ En Catalunya la normativa permite la asistencia por video conferencia o medios telemáticos.

Ello es muy práctico en Juntas de edificios de segundas residencias. En este caso, pueden celebrarse Juntas "mixtas"; en las que unos propietarios asistan personalmente, y otros participen por medios telemáticos.

La Ley 5/2015 admite la posibilidad de que se considere como asistente, la participación de un propietario que interviene en la Junta por videoconferencia o por otros medios telemáticos de comunicación. Es interesante esta novedad, ya que ni con la norma anterior, ni con la LPH puede considerarse asistente a una persona que interviene en la Junta por videoconferencia.

✔ En caso de cotitularidad, debe designarse sólo un asistente con voto. En el caso de usufructo o derecho de uso, corresponde el derecho a la asistencia al propietario o nudo propietario, sin perjuicio de la delegación de voto.

✔ El moroso puede pagar hasta el mismo momento de iniciación de la junta, no siendo válido un pago en un momento posterior, a los efectos de poder votar en esa junta.

⏩ Por ejemplo, si el moroso acude a la junta con el comprobante de la transferencia, efectuada esa misma tarde, debe admitírsele el voto en la Junta. Ahora bien, a la hora del inicio de la junta, ya no puede convalidar su situación de morosidad. Por tanto, antes de empezar la junta, si asiste el moroso, se le debe realizar un último requerimiento advirtiendo que no podrá votar de no pagar antes del inicio.

Artº 553-24. DERECHO DE VOTO

2. El derecho de voto se ejerce de las siguientes formas:

a) Personalmente.

b) Por representación, de acuerdo con lo establecido por el artículo 553-22.1.

c) Por delegación en otro propietario, efectuada mediante un escrito que designe nominativamente a la persona delegada y en el que puede indicarse el sentido del voto con relación a los puntos del orden del día. La delegación debe efectuarse para una reunión concreta de la junta de propietarios y debe recibirse antes de que comience.

El propietario moroso es excluido del cómputo de los acuerdos, en consecuencia, se puede adoptar un acuerdo, por unanimidad (y 4/5), con el voto del resto de los propietarios.

6.4. VOTOS.

Los votos se contabilizan por propietarios que, además deben contabilizarse sus coeficientes de propiedad. Es lo que se denomina la *"doble mayoría"*.

La primera conclusión es que no sirve el recuento *" a mano alzada"*.

Y ello por cuanto, si la mayoría de propietarios no son la mayoría de cuotas de participación, no se consigue la doble mayoría de propietarios y cuotas.

Los locales, generalmente, tienen unas cuotas o coeficientes mayores que los pisos, y ello puede provocar que, a pesar de votar a favor la mayoría de propietarios, no supongan la mayoría de coeficiente.

Por ejemplo. 4 votos a favor y 3 en contra. Pero en esos 3 en contra se encuentran los dos locales comerciales.

Puede ocurrir, entonces que los 4 votos a favor no representen la mayoría de cuotas de propiedad, y por tanto, no se alcance la doble mayoría. El acuerdo no ha obtenido la mayoría y no se ha alcanzado.

En definitiva, el recuento de votos debe realizarse con el listado de propietarios y cuotas, anotando en ese listado el voto a favor o en contra de cada propietario, para, finalmente sumar los propietarios y sus coeficientes de propiedad, para comprobar esa doble mayoría.

Las contabilizaciones deben realizarse con sumo cuidado y deteniendo la junta hasta el recuento final y efectivo. Sobre todo en casos de poca diferencia entre los votos a favor y en contra.

En cuanto a las abstenciones. La norma catalana resuelve que han de sumarse a la mayoría que ha votado en un sentido u en otro. Es decir, se suman a los que han ganado la votación, tanto en propiedades como en cuotas.

Por ejemplo, 4 votos a favor, 3 en contra y dos abstenciones. Entonces el recuento es de 4+2 a favor: 6 (con sus cuotas de propiedad) y 3 contra.

Artº 553-24. DERECHO DE VOTO
3. El voto de las personas que se abstengan y el voto correspondiente a los elementos privativos de beneficio común se computan en el mismo sentido que el de la mayoría conseguida.

6.5. EL VOTO DEL PROPIETARIO AUSENTE.

Para el cálculo de los votos, la norma catalana regula en detalle una particular fórmula del voto del propietario ausente. Así, para el cálculo de los votos se computan el de los propietarios presentes, ausentes y representados. Para los no asistentes el sistema de cómputo será el de añadirse a los que adoptaron el acuerdo si en el plazo máximo de un mes desde que se les notificó, no se oponen mediante carta remitida al Presidente o Administrador. En ese plazo pueden manifestar expresamente su voto negativo, lo que supondrá un nuevo recuento de votos, pasado ese plazo de un mes.

En primer lugar, el propietario ausente, puede votar a pesar de que su ausencia no tenga justificación. Es decir, no se precisa que esté ausente del municipio ni que disponga de una enfermedad. Puede ser una ausencia voluntaria por quedarse en su domicilio o ausentarse por no querer participar en una discusión.

La norma establece que, para los acuerdos de mayoría cualificada y unanimidad, debe tomarse en consideración el voto del propietario ausente.

No así para los de mayoría simple, que sólo se toman en consideración los asistentes a la junta.

Artº 553-26. ADOPCIÓN DE ACUERDOS POR UNANIMIDAD Y POR MAYORÍAS CUALIFICADAS
3. Los acuerdos de los apartados 1 y 2 se entienden adoptados:
a) Si se requiere la unanimidad, cuando han votado favorablemente todos los propietarios que han participado en la votación

y, en el plazo de un mes desde la notificación del acuerdo, no se ha opuesto ningún otro propietario mediante un escrito enviado a la secretaría por cualquier medio fehaciente.

b) Si se requieren las cuatro quintas partes, cuando ha votado favorablemente la mayoría simple de los propietarios y de las cuotas participantes a la votación y, en el plazo de un mes desde la notificación del acuerdo, se alcanza la mayoría cualificada contando como voto favorable la posición de los propietarios ausentes que, en dicho plazo, no se han opuesto al acuerdo mediante un escrito enviado a la secretaría por cualquier medio fehaciente.

Así pues, cuando se va a proponer la adopción de un acuerdo de mayoría cualificada o unanimidad, hay que iniciar todo el procedimiento para el recuento del voto del propietario ausente.

▷ En primer lugar, hay que advertir en la convocatoria que el acuerdo del punto del orden del día es un acuerdo de formación sucesiva y que se sumarán los votos del propietario ausente.

▶▶ Ejemplo: El punto incluido en el orden del día como "tercero", la MODIFICACIÓN DE ESTATUTOS, es un acuerdo que precisa el voto favorable de cuatro quintas partes de propietarios que representen ese mismo porcentaje de cuotas de participación. Para este recuento se entenderá que votan a favor de los acuerdos adoptados, los propietarios ausentes, que serán expresamente requeridos para su voto, salvo que manifiesten expresamente su oposición en el plazo de un mes.

▷ En segundo lugar, en el momento de la reunión. En ese momento sólo se exige que se adopte ese acuerdo, por la mayoría simple de los presentes. Y ello por cuanto es muy probable que no se encuentre presente ese porcentaje de los 4/5.

Pero ello no es impedimento alguno, ya que hay que contabilizar el voto de los ausentes. Por tanto, debe explicarse a los asistentes, que el acuerdo no se ha alcanzado, ni no lo ha sido, ya que hay que esperar al recuento de votos de los no asistentes.

▷ En el Acta. Hay que remitir el Acta a los ausentes, con la indicación de que deben votar en contra o a favor, pero que, si no lo hacen de forma expresa, se suman a los votos afirmativos.

Ese voto debe remitirse en el plazo de un mes desde que se emite el Acta y se notifica a los ausentes.

Una vez transcurrido ese plazo de un mes, hay que hacer un recuento. Mediante un ANEXO AL ACTA.

Es decir, el Acta no se modifica, ya que refleja lo que se aprobó en la fecha de la Junta, pero se recuentan los votos, con el resultado del recuento.

Ejemplo.

De 23 entidades.

10 votaron a favor con un 46% de cuotas.

2 votaron en contra con un 9% de cuotas.

NO ASISTENTES:

5 votaron a favor con un 22 % de cuotas.

5 no manifestaron nada con lo que se suman a los votos a favor con un 20% de cuotas.

1 voto en contra con un 3% de cuota.

El recuento es del 88 % a favor y el 12 % en contra. Por lo que se alcanzan los 4/5.

6.6. ACTAS.

Del resultado de las Juntas debe redactarse un Acta.

Ahora bien, la Ley no obliga a que se redacten mientras se celebra la junta. Así, pueden tomarse notas y apuntes, y el Acta redactarla tranquilamente al día siguientes, o a los días siguientes.

Dentro de los cinco días siguientes al día de la Junta, el Acta deberá firmarse por el Presidente y Secretario.

Artº 553-27. ACTA

1. El secretario debe redactar el acta, que debe autorizarse, con las firmas del secretario y del presidente, en el plazo de cinco días a contar desde el día después de la reunión.

4. El acta debe enviarse a todos los propietarios en el plazo de diez días a contar desde el día después de la reunión de la junta de propietarios a la dirección comunicada por cada propietario a la secretaría o, en su defecto, al elemento privativo. El envío puede realizarse por correo postal o electrónico o por otros medios de comunicación, con las mismas garantías requeridas para la convocatoria.

5. Una vez transcurrido el plazo fijado por el artículo 553- 26.3, debe enviarse a todos los propietarios un anexo al acta en el que debe indicarse si los acuerdos susceptibles de formación sucesiva han devenido efectivos o no, y debe hacerse constar, asimismo, el resultado final de la votación.

▷ El acta debe remitirse en el plazo de diez días a contar del día siguiente de la Junta del mismo modo y al mismo domicilio que la convocatoria. La Ley 5/2015 mantiene la validez de la remisión de las actas y de las convocatorias sin que se precise la notificación fehaciente. Por tanto, tal y como reitera el apartado 27.4, puede remitirse por correo postal, aceptando, en esta norma, que pueda llegar a notificarse por medios electrónicos u otros medios de comunicación.

Deberá redactarse al menos en catalán (o en Aranés en Aran). Ello viene a zanjar la repetida duda sobre el idioma en que debían redactarse y remitirse las actas de las asambleas comunitarias.

Sobre la obligatoriedad del redactado del acta en catalán, si no se cumple, ello no determina ni su nulidad ni la de los acuerdos adoptados.

Tampoco determina su nulidad el que no se remita firmada o que no se obtenga la firma en ese plazo.

▷ El acta contendrá los mismos contenidos del orden del día y los acuerdos adoptados con indicación del resultado de las votaciones, a los efectos de poder computar los votos de los ausentes y determinar la consecuencia del voto negativo de éstos.

Es importante, identificar las entidades que han votado en un sentido u en otro. Con expresión de las cuotas de participación.

▷ Como se ha dicho, las abstenciones se suman al resultado que ha ganado las votaciones.

Los acuerdos de la Junta y el contenido del acta deberán transcribirse en un libro de actas legalizado en el Registro de la Propiedad que corresponda a la finca.

▷ El secretario sólo debe recoger en el acta, como obligación legal, los acuerdos alcanzados, sin quedar obligado por las peticiones de los propietarios que éste recoja en el acta sus manifestaciones. Para la jurisprudencia no existe ninguna obligación de incluir expresiones en el acta, pues el artículo 553-27 del CCC sólo se refiere a los acuerdos como contenido del acta, pero no a los comentarios o manifestaciones que los miembros de la junta puedan hacer, de lo que se deriva que la no inclusión de las mismas en modo alguno puede arrastrar la nulidad del acuerdo ni suponer una irregularidad del acta.

El acta es únicamente un medio de prueba de los datos recogidos en ella y de los acuerdos adoptados, según el contenido recogido en el apartado 27, careciendo de eficacia constitutiva respecto de ellos.

7. Cuorums para la adopción de acuerdos

En nuestro sistema normativo, las normas necesitan de cuórums diferentes para ser aprobadas. Es decir de unas mayorías de votos a favor, y que superen a los que votan en contra.

Pues bien, ocurre lo mismo con los acuerdos de las Comunidades de propietarios.

Depende de la importancia del acuerdo, se precisa un cuórum cualificado, o incluso la unanimidad de la comunidad.

El CC CAT ha reducido mucho los acuerdos que precisan la unanimidad, y los ha derivado al cuórum cualificado.

No obstante, creó un nuevo porcentaje: el de 4/5 partes, de propietarios y cuotas, que es el cuórum cualificado en Catalunya. (3/5 en la Ley Estatal).

Artº 553-26. ADOPCIÓN DE ACUERDOS POR UNANIMIDAD Y POR MAYORÍAS CUALIFICADAS.

1. Se requiere el voto favorable de todos los propietarios con derecho al voto para:

a) Modificar las cuotas de participación.

b) Desvincular un anexo.

c) Vincular el uso exclusivo de patios, jardines, terrazas, cubiertas del inmueble u otros elementos comunes a uno o varios elementos privativos.

d) Ceder gratuitamente el uso de elementos comunes que tienen un uso común.

e) Constituir un derecho de sobreelevación, subedificación y edificación sobre el inmueble.

f) Extinguir el régimen de propiedad horizontal, simple o compleja, y convertirla en un tipo de comunidad diferente.

g) Acordar la integración en una propiedad horizontal compleja.

h) Someter a arbitraje cualquier cuestión relativa al régimen de la propiedad horizontal, a menos que haya una disposición estatutaria contraria.

2. Es necesario el voto favorable de las cuatro quintas partes de los propietarios con derecho al voto, que tienen que representar al mismo tiempo las cuatro quintas partes de las cuotas de participación, para:

a) Modificar el título de constitución y los estatutos, salvo que exista una disposición legal en sentido contrario.

b) Adoptar acuerdos relativos a innovaciones físicas en el inmueble, si afectan a su estructura o configuración exterior, salvo los supuestos regulados en las letras b), d) y e) del artículo 553- 25.2, así como los relativos a la construcción de piscinas e instalaciones recreativas.

c) Desafectar un elemento común.

d) Constituir, enajenar, gravar y dividir un elemento privativo de beneficio común.
e) Acordar cuotas especiales de gastos, o un incremento en la participación en los gastos comunes correspondientes a un elemento privativo por el uso desproporcionado de elementos o servicios comunes, de acuerdo con lo que establece el artículo 553-45.4.
f) Acordar la extinción voluntaria del régimen de propiedad horizontal por parcelas.
g) La cesión onerosa del uso y el arrendamiento de elementos comunes que tienen un uso común por un plazo superior a quince años.
h) Los contratos de financiación que tengan un plazo de amortización superior a quince años.

7.1. LA UNANIMIDAD.

A resultas de la regulación en el Código Civil de Catalunya, se exige unanimidad para los acuerdos previstos en el apartado 26, en especial, para:

1º.- La modificación de las cuotas de participación,

2º.- Para la vinculación del uso exclusivo de elementos comunes, y la desvinculación de un anexo,

3º.- la cesión gratuita de elementos comunes,

4º.- La extinción de la propiedad horizontal y la integración en una propiedad horizontal compleja.

Las tres primeras suponen una modificación de la escritura de división horizontal y los coeficientes de propiedad. Es lógico pues, que se precise de la unanimidad, por cuanto se modifican los elementos privativos.

La cuarta es una actuación muy extraordinaria y, como tal, se precisa la unanimidad.

✓ Para el cómputo de la unanimidad, y los cualificados que estudiaremos a continuación, debe excluirse al moroso, que por serlo, no puede votar. Por tanto, su entidad y cuota de participación no entran en el recuento, y se consigue la unanimidad con el voto favorable de el resto de miembros de la comunidad.

7.2.- LOS 4/5.

Como se ha dicho, en Catalunya el cuórum cualificado es el de la necesidad de conseguir 4/5 partes de propietarios y cuotas, es decir, el 80% de propietarios de la finca y que sumen el 80% de cuotas de propiedad.

Deben darse ambos requisitos. Si se consigue el 80% de propietarios, pero no suman el 80% de cuotas, entonces el acuerdo no se ha alcanzado.

Ejemplo.

En una finca de 21 entidades, se necesita el voto favorable de 17 entidades, por tanto pueden votar en contra 4, pero esas 17 entidades deben suponer el 80% de cuotas de participación.

Si los locales votan en contra, y tienen una cuota superior a la de los pisos, puede darse que esas 17 entidades no sumen el 80% de cuotas de participación. En este caso el acuerdo no se alcanzaría por no conseguir la doble mayoría. Deben darse ambos requisitos.

Si hay un moroso, entonces el recuento es sobre 20 entidades. Por tanto se precisan 16 entidades, que representen, además, el 80% de cuotas de participación, como se ha dicho.

Se precisa este cuórum:

1º.- Para la modificación del título de constitución de propiedad horizontal y de los estatutos.

Ejemplo. Con este cuórum pueden aprobarse unos Estatutos donde se limite el uso turístico de las entidades de la finca. O que en los locales no se ejerzan actividades de ocio nocturno o de discotecas.

FORMULARIO DE CLAUSULA DE PROHIBICIÓN DE USO EN LOCALES.

Queda prohibido el ejercicio de actividades de ocio nocturno y/o de discoteca, pubs o asimilados, en los locales de la finca.

2º.- La cesión onerosa del uso y arrendamiento de elementos comunes por un plazo superior a los quince años.

Ejemplo: El alquiler de las cubiertas para antenas de telefonía, que generalmente solicitan contratos largos, de más de 15 años, necesita de la aprobación de este cuórum.

Ahora bien, si el contrato de arrendamiento es inferior a 15 años, entonces sólo será necesario el cuórum de la mayoría simple.

3º.- Ese mismo cuórum de las 4/5 partes es el que se precisa para la modificación de la forma de contribución a los gastos comunes, que es distinto del acuerdo de variación de las cuotas de participación, para el que se precisa unanimidad. Es decir, la jurisprudencia entiende que si la Comunidad ha seguido un sistema de reparto de los gastos (todos por coeficiente, todos por partes iguales o un sistema mixto), cambiar ese sistema no precisa del mismo cuórum para cambiar los coeficientes (unanimidad); y ello por cuanto, en realidad, no se modifican los coeficientes sino sólo un sistema de reparto de los gastos comunitarios.

Ejemplo. Si por escritura se establece que los gastos de conserje se reparten por coeficiente y se quiere aprobar que se repartan a partes iguales.

En definitiva, es un cambio en los Estatutos de la comunidad, afectando a la forma de reparto de un gasto en concreto.

4º.- La desafectación de un elemento común y conversión en privativo para su posterior venta o arriendo es uno de los acuerdos que precisan 4/5 partes de propietarios y votos.

Ejemplo. La desafección para la venta de la antigua portería. Esta operación no precisa de la unanimidad, y bastan los 4/5. Por tanto, puede adoptarse con algún voto en contra, siempre que no supere el 20%. Al desafectar la entidad, supone la atribución de un nuevo coeficiente de propiedad, y la reducción del resto, para que la suma vuelva a dar como resultado 100.

En este caso, aunque se modifiquen todos los coeficientes, no se precisa la unanimidad, por cuanto esta modificación de coeficientes se debe a la desafección de un elemento común, para la creación de una nueva entidad en la finca.

5º.- Las innovaciones físicas en el edificio si afectan a la configuración exterior (cerramientos y cubrimientos) y para la construcción de piscinas e instalaciones recreativas. el cuórum de 4/5 partes se reserva a las innovaciones que afecten a la estructura exterior del edificio.

Ejemplo. Pero debe tratarse de una innovación. Es decir, la creación de un nuevo elemento o instalación común.

Una piscina, o un cerramiento, etc.

En primer lugar, se precisan 4/5 partes y, además, el que vota en contra no participa en el gasto, por considerarse disidente.

7.3. EL VOTO DEL PROPIETARIO AUSENTE.

Para el cómputo de esas cuatro quintas partes, necesarias para la adopción de estos acuerdos descritos, se contarán como votos favorables aquellos que no estuvieren presentes en la reunión pero que no votaran expresamente en contra; puesto que el acuerdo se adopta por formación sucesiva (expresamente referido en el punto 3.b del apartado 26).

También si el acuerdo precisa de la unanimidad.

Artº 553-26. ADOPCIÓN DE ACUERDOS POR UNANIMIDAD Y POR MAYORÍAS CUALIFICADAS.
3. Los acuerdos de los apartados 1 y 2 se entienden adoptados:
a) Si se requiere la unanimidad, cuando han votado favorablemente todos los propietarios que han participado en la votación y, en el plazo de un mes desde la notificación del acuerdo, no se ha opuesto ningún otro propietario mediante un escrito enviado a la secretaría por cualquier medio fehaciente.
b) Si se requieren las cuatro quintas partes, cuando ha votado favorablemente la mayoría simple de los propietarios y de las cuotas participantes a la votación y, en el plazo de un mes desde la notificación del acuerdo, se alcanza la mayoría cualificada contando como voto favorable la posición de los propietarios ausentes que, en dicho plazo, no se han opuesto al acuerdo mediante un escrito enviado a la secretaría por cualquier medio fehaciente.

Así, puede no conseguirse ese cómputo de votos en la fecha de la asamblea (que lo aprobó por mayoría simple) pero sí pasado el mes, sin que manifestaran su voto en contra los ausentes en número suficiente para alcanzar esa mayoría.

En primer lugar, hay que advertir de este voto del propietario ausente, y de sus efectos, en la convocatoria.

Así, cuando se está incluyendo en la convocatoria un acuerdo que necesita de 4/5 partes, hay que advertir que para el cómputo de ese cuórum se tendrá en cuenta los votos de los propietarios que no asisten a la Junta.

FORMULARIO DE CONVOCATORIA:

El acuerdo 3º del orden del día, es de formación sucesiva, por lo que se entenderá que votan a favor los propietarios ausentes que, en el plazo de un mes, no voten en contra del mismo, expresamente, mediante carta dirigida a la Administración de la Comunidad o a la Presidenta.

En la Junta, sólo se precisa el voto de la mayoría simple de los asistentes para que se inicie el cómputo de los no asistentes.

Es decir, no se precisa que voten a favor los 4/5 de los asistentes, ni que estén presentes los 4/5 del edificio en el momento de la votación.

✓ El cómputo de los 4/5 partes de propietarios y cuotas del edificio, debe darse tras la votación de los no asistentes, por lo que no se puede adoptar el acuerdo hasta el recuento de esos no asistentes.

▶▶ Ejemplo: En una Comunidad de 30 vecinos, sólo 15 asisten a la Junta.

Pues bien, en la Junta no podrá alcanzarse el voto de los 4/5 ya que no están presentes tantos propietarios (serían 24).

Lo que se precisa es que se alcancen 24 votos a favor (que representen también los 4/5 en cuotas de propiedad) con la suma de los no asistentes.

Sólo se contabilizan como votos en contra, los que se opongan expresamente.

Así, por ejemplo, de los 15 asistentes , votaron a favor 13 y 2 en contra.

Pues de los 15 restantes, se contabilizarán en contra, los que voten expresamente en contra. El resto se suman a los que votaron a favor.

Si 2 asistentes votaron en contra, no pueden votar en contra más de 4 propietarios, o 4 si las cuotas son superiores al 20%.

Pasado el mes, hay que sumar:

Votos a favor de la Junta 15

Votos en contra de la Junta 2

Votos en contra de los ausentes x

Votos a favor de los ausentes resto.

Y sumar si se ha alcanzado el cuórum de los 4/5 de propietarios y cuotas.

✓ El cómputo del voto del propietario ausente también tiene que tomarse en consideración en los acuerdos que precisan de la unanimidad, en este caso, el voto del propietario ausente, si vota en contra, rompería la unanimidad que se hubiere alcanzado en la Junta de propietarios entre los asistentes.

✓ Finalmente, el propietario ausente es aquél que no asiste a la Junta, por cualquier motivo. No se precisa justificación médica o de estar fuera de la sede de la Junta. El propietario ausente puede estar en su domicilio y la Junta celebrarse en el vestíbulo. Es ausente por voluntad propia.

A pesar de no asistir, por voluntad propia, la norma catalana le concede un derecho a voto, en los acuerdos de 4/5 y de unanimidad.

7.4. MAYORIA SIMPLE.

La mayoría simple, entre presentes a la reunión es suficiente:

- para la adopción de acuerdos que tengan como finalidad la supresión de barreras arquitectónicas o la instalación de ascensor,
- las innovaciones exigibles para la seguridad del edificio,
- y las obras o instalaciones necesarias para los servicios de telecomunicaciones de banda ancha o contadores individualizados del consumo de agua, gas o electricidad. Esta última actuación es muy frecuente en urbanizaciones privadas.
- para acordar la cesión onerosa del uso y arrendamiento de elementos comunes por un plazo inferior a los quince años.
- Para la aprobación de normas de régimen interior.

En lo relativo a la supresión de barreras arquitectónicas, si la Comunidad de Propietarios no lo acuerda por la mayoría simple prevista en el apartado 25, el propietario interesado puede solicitar, o bien autorización administrativa del "Departament de Benestar Social de la Generalitat de Catalunya", o bien instar demanda judicial contra la Comunidad para que sea el órgano judicial el que obligue a la supresión de barreras arquitectónicas.

553-25. RÉGIMEN GENERAL DE ADOPCIÓN DE ACUERDOS

1. Solo se pueden adoptar acuerdos sobre los asuntos incluidos en el orden del día.

2. Se adoptan por mayoría simple de los propietarios que han participado en cada votación, que tiene que representar, al mismo tiempo, la mayoría simple del total de sus cuotas de participación, los acuerdos que hacen referencia a:

a) La ejecución de obras o el establecimiento de servicios que tienen la finalidad de suprimir barreras arquitectónicas o la instalación de ascensores,

> aunque el acuerdo comporte la modificación del título de constitución y de los estatutos o aunque las obras o los servicios afecten a la estructura o la configuración exterior.
> b) Las innovaciones exigibles para la habitabilidad, accesibilidad, seguridad del inmueble o eficiencia energética o hídrica según su naturaleza y características, aunque el acuerdo comporte la modificación del título de constitución y de los estatutos o afecten a la estructura o a la configuración exterior.

✔ Tal y como establece la jurisprudencia, el Código Civil de Cataluña no exige la existencia de copropietario con minusvalía en el edificio para la válida adopción de acuerdo de supresión de barreras arquitectónicas.

También para todo tipo de obras de reparación o de substitución de elementos comunes, con modificación o cambio de su configuración o de sus materiales.

⏩ La Comunidad puede cambiar el ascensor, y de un formato de ascensor de madera pasar a uno de aluminio y con puertas automáticas, aunque el coste sea muy superior a reparar el de madera.

También en la reparación de la fachada pueden darse varias opciones:

Continuar con el mono capa.

Un mono capa más eficiente, térmica y acústicamente, aunque más caro.

Una fachada transventilada.

Pues bien, por mayoría simple puede acordarse cualquiera de las tres, aunque sus costes sean muy diferentes.

8. *Notificación, vinculación, e impugnación de acuerdos*

Una vez adoptado un acuerdo, y alcanzado el cuórum preciso, el acuerdo debe notificarse, ejecutarse e impugnarse si se considera contrario a las normas reguladoras.

Veamos todos estos aspectos.

8.1. NOTIFICACIÓN.

El Acta debe redactarse, en cualquier momento posterior a la Junta, es decir, no se precisa que se redacte mientras se celebra la reunión de propietarios, ni es preciso que se lea al final.

En todo caso, puede leerse un resumen de los acuerdos, para mayor claridad de lo realmente aprobado en esa Junta.

El acta debe notificarse a todos los propietarios en el plazo de los diez días siguientes a contar del de la reunión. Para los no asistentes, a partir de la notificación se abre el período para votar en contra del acuerdo o para impugnarlo judicialmente (precisan ambas actuaciones).

Recordemos que la Ley del 2015 instaura la obligación de notificación del "anexo" al acta.

El CC Cat, tanto en la Ley 5/2006 como en la Ley 5/2015, al igual que hacía la LPH no exige la fehaciencia en la notificación. No es obligatoria la remisión del acta por medios que permitan la constancia de la recepción (burofax o Acta Notarial). Así pues, si se utiliza este mecanismo, lo es en aras a la seguridad jurídica de la Comunidad de Propietarios, pero no por exigencia legal.

Basta con la comunicación por carta o por correo electrónico, si el propietario ha elegido este mecanismo para las comunicaciones de Actas y convocatorias.

La casuística jurisprudencial del CC Cat se ha preocupado, incluso, en instaurar que, si se utiliza el mecanismo de burofax, el plazo cuenta desde que se le facilita al destinatario el aviso de su notificación, con independencia de si lo va a recoger o no.

8.2. VINCULACIÓN DE LOS ACUERDOS ALCANZADOS.

Una vez adoptados los acuerdos, es decir, celebrada la reunión y tras el recuento de la manifestación de los no asistentes, los que votaron en contra quedan vinculados al acuerdo alcanzado.

Ejemplo: Se somete a votación una reparación en la fachada y de 8 asistentes, 6 votan a favor y 2 en contra por cuanto consideran que la obra puede esperar unos meses ya que no parece que corra peligro de desprendimiento.

Pues bien, la obra ha sido aprobada y las derramas se repartirán en todos los propietarios, quedando todos obligados a su pago, incluso los que votaron en contra.

Como se explicará en este capítulo, los que votaron en contra, pueden impugnar judicialmente el acuerdo, pero si no lo hacen, el acuerdo es válido y eficaz y vincula a todos.

Artº ARTÍCULO 553-29. EJECUCIÓN

Los acuerdos adoptados válidamente por la junta de propietarios, salvo que los estatutos establezcan otra cosa, son ejecutivos desde el momento en que se adoptan.

Pero cabe proceder al estudio de la figura del DISIDENTE.

Concepto éste ya originario de la legislación estatal, disidente es el que manifiesta expresamente su voluntad en contra de la adopción del acuerdo que se adopta, no obstante su oposición. Es decir, para ser DISIDENTE, primero hay que votar en contra.

El concepto de disidente sólo puede originarse en los acuerdos en los que no se precise la unanimidad, ya que en éstos el voto en contra impide su adopción. Con el disidente, el acuerdo se aprueba y se ejecuta y los efectos económicos hacia el disidente serán distintos, si se dan ciertos requisitos.

El disidente, con la actual regulación, sólo se libera de los efectos económicos del acuerdo y, por tanto, de contribuir a su coste en base a su cuota de participación, si se trata de un nuevo servicio o instalación y si el valor total del gasto aprobado es superior a la cuarta parte del presupuesto anual de la comunidad.

CONCLUSION: deben darse dos requisitos,

1º.- que sea una nueva instalación o servicio para la comunidad: Por ejemplo, una piscina o un nuevo servicio de vigilancia nocturna.

2º.- Que esa nueva instalación o servicio tenga un coste superior a ¼ parte del presupuesto del año anterior de esa misma comunidad.

La Ley 5/2015, no obstante, establece una excepción al disidente, al establecer en su apartado 30.2 que puede haber un disidente siempre que la nueva instalación "no sea exigible de acuerdo con la Ley", por tanto, esta norma limita aún más el derecho del disidente a no participar en el gasto.

Es decir, si la nueva instalación se debe a una exigencia legal, entonces el DISIDENTE no queda liberado del pago de esa novedad.

Artº 553-30. VINCULACIÓN DE LOS ACUERDOS

1. Los acuerdos adoptados por la junta son obligatorios y vinculan a todos los propietarios, incluso a los disidentes.

2. No obstante lo que establece el apartado 1, los propietarios disidentes no están obligados a satisfacer los gastos originados por las nuevas instalaciones o nuevos servicios comunes que no sean exigibles de acuerdo con la ley si el valor total del gasto acordado es superior a la cuarta parte del presupuesto anual vigente de la comunidad una vez descontadas las subvenciones o las ayudas públicas y los costes derivados de la obtención de crédito necesario con entidades financieras. Los propietarios solo pueden disfrutar de las nuevas instalaciones o los nuevos servicios si satisfacen el importe de los gastos de ejecución y de mantenimiento con la actualización que corresponda aplicando el índice general de precios de consumo.

Por ejemplo, si por una nueva normativa debe instalarse un servicio contraincendios.

Para el resto de acuerdos, los aprobados por mayoría simple o por 4/5 partes que no supongan nuevo servicio o instalación, y para las nuevas instalaciones que no superen la cuarta parte del presupuesto de esa anualidad, quedan vinculados todos los propietarios, inclusive los que votaron en contra, como se ha dicho (apartado 30).

Si el disidente queda excluido del pago de la nueva instalación o servicio, por ser de coste superior a la cuarta parte del presupuesto anual, y no ser exigible por Ley, no resultará obligado a contribuir a ese gasto, por lo que se creará otro reparto de gastos, en el que el disidente o disidentes no participarán en el mismo. El resto de propietarios, que votaron a favor o no lo hicieron expresamente, se repartirán el coste de la instalación y del mantenimiento anual. Si el reparto entre el resto de propietarios lo es por coeficiente, el porcentaje no repartido deberá repartirse al resto en proporción al coeficiente de cada entidad.

En cada liquidación anual al disidente se le deberá excluir de cualquier gasto relativo a esa innovación, los de mantenimiento y los de una hipotética reparación.

8.3. MODIFICACIÓN DE UN ACUERDO COMUNITARIO POR OTRO POSTERIOR.

En cuanto a la vinculación a la propia Comunidad de Propietarios, los acuerdos pueden ser modificados, revisados o incluso revocados por otros posteriores, adoptados con las mismas formalidades, requisitos y cuórums que los que les precedieron.

Ejemplo: Puede ocurrir que se apruebe la reparación de un elemento común (ascensor, por ejemplo) y en su reparación se detecte que la avería es más grave y que no puede repararse sino debe sustituirse el mismo en gran parte, encareciendo el presupuesto.

Pues bien, se puede convocar una Junta de Propietarios que modifique el acuerdo y se apruebe la sustitución de ese ascensor. La Comunidad no queda obligada a ejecutar el acuerdo según lo aprobado anteriormente y puede modificar el acuerdo, adecuándose a la nueva realidad.

Ese acuerdo modifica uno anterior, pero se explica con lo sucedido, y es válido el último acuerdo adoptado, modificando uno anterior.

Tal y como establece la jurisprudencia, las Comunidades de Propietarios, en uso de las legítimas facultades que corresponden a la Comunidad, pueden adoptar, con los requisitos de forma y quórum legalmente exigibles, decisiones que modifiquen, revoquen o sustituyan a acuerdos anteriormente adoptados, siempre y cuando:

a) los nuevos acuerdos no infrinjan el principio de buena fe, y no lo hace quien actúa en ejercicio de una facultad legítima, y

b) los nuevos acuerdos no entrañen un abuso de derecho.

Estos limites serían los únicos que permitirían la impugnación judicial de un acuerdo modificativo de otro anterior. Si no se dan, entonces la modificación de un acuerdo anterior es perfectamente válida y sería validado judicialmente, en caso de impugnación.

8.4. IMPUGNACIÓN JUDICIAL DE LOS ACUERDOS ADOPTADOS EN JUNTA.

Los acuerdos adoptados pueden impugnarse judicialmente por aquellos propietarios ausentes y los que asistieron, pero votaron en contra, (apartado 31.2 que mantiene el redactado). Los que no asistieron debieron además votar en contra expresamente, por cuanto, si no es así, se consideran adheridos al acuerdo y no podrán impugnarlos; los que asistieron debieron votar en contra, no siendo válida la abstención.

Ahora bien, impugnación significa que acuden a un procedimiento judicial. Es decir, el mero voto en contra no supone efecto alguno, distinto de que se cuente como voto en contra para el cálculo de las mayorías necesarias para la adopción de los acuerdos.

Ejemplo: Si para la aprobación de un acuerdo, se precisa la mayoría simple, como puede ser una obra en un elemento común, el voto en contra sólo tiene como efecto que se suma a los votos negativos y hay que contar, entre los asistentes, quienes votan a favor y quienes votan en contra. Pero si hay mayoría que vota a favor de la obra, el acuerdo es válido y eficaz, y obliga a todos, incluso a los que votan en contra.

Si alguno de los que votaron en contra, quiere impugnar judicialmente el acuerdo, por cualquier motivo, entonces debe presentar la demanda judicial (asistido de Letrado y Procurador) ante el Juzgado Civil que sea competente.

El apartado 31 en su nuevo redactado por Ley 5/2015, fija el plazo para impugnar judicialmente los acuerdos.

Artº 553-31. IMPUGNACIÓN

1. Los acuerdos de la junta de propietarios pueden impugnarse judicialmente en los siguientes casos:

a) Si son contrarios a las leyes, al título de constitución o a los estatutos o si, dadas las circunstancias, implican un abuso de derecho.

b) Si son contrarios a los intereses de la comunidad o son gravemente perjudiciales para uno de los propietarios.

> 2. Están legitimados para la impugnación de un acuerdo los propietarios que han votado en contra, los ausentes que se han opuesto y los que han sido privados ilegítimamente del derecho de voto.
> 3. Para ejercer la acción de impugnación es preciso estar al corriente de pago de las deudas con la comunidad que estén vencidas en el momento de la adopción del acuerdo que desee impugnarse o haber consignado su importe.
> 4. La acción de impugnación de los acuerdos caduca en el plazo de un año en los supuestos a que se refiere el apartado 1.a y en el plazo de tres meses en los supuestos a que se refiere el apartado
> 1.b. Los plazos se cuentan desde la notificación del acta o del anexo del acta, según proceda.

Este artículo fija el plazo de tres meses para impugnar los acuerdos contrarios a los intereses de la Comunidad o gravemente perjudiciales para un propietario (o varios); y el de un año para impugnar los acuerdos contrarios a la Ley, al Título de constitución y a los Estatutos.

Ejemplo: El plazo de tres meses sería para impugnar un acuerdo que se considera que afecta a un propietario de forma especial, y el plazo de un año si se considera que ese acuerdo se ha adoptado por una mayoría distinta a la que marca la Ley o los Estatutos de esa comunidad.

Esos plazos de impugnación se inician en el momento en que se notifique el acta, o su anexo posterior, incluso para los asistentes.

Es decir, el plazo se inicia en el mismo momento para los asistentes, que conocían el acuerdo, como para los no asistentes, que no participaron en la Junta y podían no conocer el contenido exacto del acuerdo.

Es importante destacar que sigue vigente la obligación del impugnante de estar al corriente de pago de las cuotas o bien de haberlas consignado notarial o judicialmente (apartado 31.3).

Y debe de estar al corriente en el momento en que se adopta el acuerdo que pretende impugnar en un momento posterior. Es decir, en el momento de la junta.

Es decir, no puede consignar posteriormente la deuda, al momento de interponer la demanda.

Esta situación es muy trascendente, ya que, hasta la aprobación de esta norma catalana, era frecuente no pagar la cuota o derrama y consignarla en el momento en que se presentaba la demanda judicial. Pues bien, ahora ya no es posible con la norma catalana y debe estar al corriente en el momento de la Junta y en todo momento posterior.

8.5. CONVALIDACIÓN DE ACUERDOS NO IMPUGNADOS JUDICIALMENTE.

Si un acuerdo no se impugna judicialmente, queda convalidado y es ejecutivo y eficaz.

Puede ocurrir que sea discutible si el acuerdo, en concreto, debe aprobarse por mayoría simple o por 4/5 partes.

Pues bien, si se aprueba por mayoría simple, aunque fuere dudoso si el cuórum es ese o el de 4/5, y no se impugna judicialmente por ningún propietario, entonces queda convalidado y es eficaz.

Con posterioridad, no se podrá impugna la deuda contraída por un propietario, en base a si el acuerdo se adoptó o no por las mayorías precisas.

Si no se impugnó en su momento, entonces, queda convalidado y vinculados los propietarios que asistieron a la junta y no lo impugnaron.

Lo mismo ocurre si un gasto se ha repartido de forma distinta a los Estatutos, si no se impugna esa forma de reparto es válida y eficaz.

▶▶ Ejemplo: Es muy frecuente comprobar que los gastos de los Honorarios del Administrador y los de oficina, se reparten a partes iguales, y no por coeficiente. Pues bien, esta forma puede no estar amparada en los Estatutos, pero si cada año se aprueba en la liquidación de gastos, es válida y eficaz, y no se podría alegar esta situación en caso de reclamación de deuda frente a un propietario.

Sólo un nuevo adquirente, que no participó en esos acuerdos ni los votó a favor, puede impugnar un acuerdo que se sigue aplicando de forma distinta a lo que establecen los Estatutos.